JN033927

パクス・クルトゥラ

平和構築の要諦としての文化

ホルヘ・サンチェス＝コルデロ
松浦芳枝：訳

PAX CULTURA

Dr. Jorge Sánchez Cordero

西田書店

ホルヘ・サンチェス＝コルデロ
Dr. Jorge Sánchez Cordero

最愛の妻ELSAへ

序文

平和による文化と文化による平和

『パクス・クルトゥラ　―平和構築の要諦としての文化』の中で、ホルへ・サンチェス=コルデロは、暴力、平和と文化に関して、平和の文化と主戦論者的な反文化、暴力、略奪及び人間の活動によって引き起こされた気候変動の影響による文化遺産の破壊、並びに文化遺産保護のための法律、戦略及び政策に関する幅広い考察を我々と共有している[1]。

学殖豊かにして多彩な考察から成る本書は、ウクライナに於ける戦争という人類にとって最新の戦争の挑発に関する考察から始まっている。著者はそこで、1945年8月の広島と長崎への犯罪的な原爆投下以降の世界に潜在的な脅威として迫る、恐るべき第三次世界大戦に至りうる地球規模での新たな軍事衝突の勃発の可能性について、我々に警鐘を鳴らしている。著者は、かくして、「平和に関する熟考、平和主義的理想主義及び文化遺産の保護を語ることは、この時期にあっては童心の極みと言えるかもしれない。それどころか、(略) 不毛そのもので甚だしい見当違いの行為とも取られかねない。」と危惧しながら、当該考察が緊急でも不可欠でもないという主張を即時に退けている。

地球レベルでの平和に関する深い考察の持つ重要性について疑問を抱く者は皆無であることは明白である。しかし、メキシコ国内の状況に於けるその妥当性についてこそ、私は、いくつかの見解を明確にする必要があると考えており、それを軸にして本書の世界へ読者を誘う目的でその紹介を始めたいと思う。

1968年の大衆学生運動に始まり同年10月2日の〔訳注：メキシコ市トラ

1　法学博士であり、文化財の保護に関する国際法の専門家である著者は、本書の中で、2020年から2022年にかけて、メキシコの週刊誌『プロセソ』に寄稿した評論を纏めている。

テロルコで起きた〕虐殺、1971年6月に「エル・アルコナソ」〔訳注：同じくメキシコ市で「ロス・アルコネス」という名前の民兵組織が発砲して起きた虐殺〕、権威主義的政権及び我が国に蔓延る不正に反対する数多くの社会運動の出現、そして—1982年以降であるが—新自由主義の定説に嵌め込まれた経済政策とその後の相次ぐ通貨切り下げの危機、稚拙な経済運営、官民双方での汚職、スキャンダルと言える程の社会的不平等の激化、更には、極貧層の指数関数的拡大と北の隣国への移民……これらの出来事を何らかの形で経験しながら20世紀の後半を生きてきた我々メキシコ人の世代にとって、また、2006年12月に始まる所謂「麻薬戦争」[2]—その紛れもない敗北を我々が理解するのに15年以上を要したが—国土への大量の武器の違法な搬入をはじめ、国内でのあらゆる薬物消費の増大、組織犯罪集団の手による違法ビジネスの拡大、治安維持部隊による人権侵害、誘拐、脅迫、女性・子供に顕著な失踪及び人身売買の指数関数的増加、全土で出現した組織犯罪集団が犠牲者の遺体を埋めた秘密の穴、暴力による先住民を中心とする農村共同体の強制退去、国内随所での自主警察または自警団の出現、都市、幹線道路、農道などで頻発する暴力事件など、多くの恐怖の事態をもたらしたその「戦争」の直接的または間接的な証人もしくは被害者として、前世紀から現世紀を生きてきた我々メキシコ人にとって、結局のところ、メキシコで起きた汚職と無処罰の政権の中で執行された新自由主義モデルの副産物である暴力の激化の直接的または間接的な証人であった我々全てにとって、和平プロセス及び暴力と不平等により引き裂かれた社会機構の再構築のプロセスに於ける文化の役割、並びに国の文化の具体的な形を特定し意味を付与する有形無形の遺産の保護を考察することは、極めて有意義である。

そして現在、ウクライナや地球の他の地域で起きている戦争の地政学的及び人道主義的に深刻さを増す事態についても、サンチェス=コルデロは、その重大さを念頭に置きつつ行った考察を我々と共有してくれている。考察の意義と範囲を理解するだけの目的で、我が国の「麻薬組織との戦争」を、戦争として正式に宣言された場合または単に何らの宣言

2　1971年に米国のニクソン大統領が開始し、コロンビアで繰り返された*麻薬戦争*に取って代わった戦争。

もなされない場合をも含む、他の諸国での暴力及び武力紛争と質的に比較することは有用であろう。

このことを表明した上で、そして、地球上の様々な地域で起きている状況には顕著な相違があるとはいえ、国際的に、とりわけ、我々にとってこの15年間の国内状況の中で、「平和、平和主義的理想主義及び文化遺産の保護に関して、この時期に考察をすることの持つ意義を再確認する」ことができる。

確かに、我が国にあっては、文化と和平の関係は、武力紛争時の文化財の保護に関する国際条約の適用に基づく国際機関の調停を受けている状態ではないとは言え、端的に言えば、その視点はメキシコにとって参考になる議論として不可避であることを意味する。

あらゆる種類と形態での暴力、戦争、テロ、気候変動、最新のパンデミックであるCovid-19という衛生上の大惨事のような広範囲に亘る脅威とリスクに対して、我々が文化遺産の保護に着手するに当たり、本書は、全ての国々にとって、どのような挑戦をすべきかの明確な判断を可能にしてくれる。それによって、国際的な法的枠組みでの既存の空白と制約、国内の様々な法的枠組内での不均衡と矛盾点、並びに国際美術市場、収集癖そして歴史、文化、世界遺産を巡る植民地主義的視点の普及から派生する利害関係の正体を暴くに至る。

本書はまた、文化財の不正取引との戦い及び植民地主義の略奪の餌食となってきた二等諸国の文化遺産の回復、並びに返還を要求する諸国によって重要視されている文化遺産の保護のための、法的側面及び国内外の最善の慣行の創出で得られた進展とに関連する様々な場合の解決で辿り続ける行程を指し示している。

冒頭、著者は、20世紀の二つの世界大戦後の戦争と平和をめぐる若干の議論を我々に再認識させてくれる中で、アインシュタインとフロイトの交換書簡に注目する。そこで、「人類の文化的発展こそが、文明の社会的不満足を低減させることが唯一可能であるから（略）その結果、戦争のリスクを低減できる要素は、優れて文化的要素に他ならない。」というテーゼを回復させている。その後、両思想家が、「文化、正義及び安定を伴わない平和は、平和を装っているものの、実際は似て非なるものでしかない（略）」という点で意見の一致を見ていることを示している。

しかし、人々を戦争に駆り立てる衝動、即ち、戦争指向性の底辺にあるものは何であろうか。その点に関して、サンチェス=コルデロは1986年のセビリア宣言に言及しており、その公理の一つが「戦争は、遺伝子や暴力の精神、人間性または本能の持つ宿命ではない。戦争は、社会的に構築されたものである（略）」である。同宣言は、1989年にUNESCOにより採択され、人類は、戦争の文化を作り出したのだから、平和の文化も作り出すことができると指摘する。更に、「戦争は人間性に固有であるとする主張（略）は科学的根拠の欠如である」と繰り返し表明している。

『パクス・クルトゥラ』では、著者は数多くのテーマを取り上げているが、その中でも特に強調する必要のある重要度の高いもう一つの一般的なテーマがある。それは、大なり小なりの損害のみならず、消滅や破壊にさえ至る文化遺産に対して向けられた暴力と人間の強欲の結果である。そうした要因の中で、動産文化遺産・文化財の略奪及び不正取引、売買、市場取引に加えて、こうした不正行為を防止、抑制、処罰するための国内外の法的枠組に於ける進展の様子を確認することができる。

この見解の中で、サンチェス=コルデロが、武力紛争時の文化遺産の保護の達成に直接的または部分的に関係する人道的要求と文化的内容の要求とを、地政学的利害、覇権主義そして武力衝突という軍事的論理に優先させる可能性－成功に至らない場合が多々あった－の追求に努める国際条約を強調している点を特筆しておきたい。

それにより、UNESCOは1992年以降、人類と文化遺産にとって深刻な脅威となっている破壊手段の変化の進展の加速、蓄積と高度化を中心とする未解決の問題に立ち向かうようになった。国際的な環境の中での率直な議論は、武力紛争時の文化財保護のための条約及び議定書の目的の真剣な考察へと我々を誘うのであるが、サンチェス=コルデロは、かかる条約及び議定書は、複雑な反響を及ぼすに至りうる概念である国際公共財として文化財を考察する立場から、より論争の的となる構成要素の一つであると我々に語る。

逆説的に、文化遺産の保存そしてその達成のための法律文書及び戦略に関する議論が高まるにつれて、文化財が武装テロ集団の目に止まる機会が増えることになることから、文化財・遺産は、こうした議論や当該財の持つ高い価値に鑑みて、文化遺産に悪影響を与えた場合に生じうる損害または略奪と取引によって得られる利益が作り出す状況を理解する集団による攻撃、略奪と恐喝の標的になっていることが少なくない。

しかし、文化遺産の保護と防護が提起する取り組みの必要性は、戦争・政治の議題だけに存するのではない。著者によれば「犯罪集団と多様な蒐集家の間に恒常的な相互作用があることが立証された」国際美術市場と称される巨大な利害の関係者の責任を考慮することが肝要である。これは積年の議論であり、またメキシコにとっては特に重要度の高い問題であり、違法に持ち出された我が国の考古学的動産の目的地となる市場がある、例えばフランスのような政府当局と対峙して困難な状況に陥っており、昨今の状況は悪化の一途を辿っている。

しかしながら、そのような進展に加えて、サンチェス=コルデロは、所謂G7文化大臣・当局によって発出されたフィレンツェ宣言（2017年）、民族浄化の要素としての文化的破壊に関する在ハーグ国際司法裁判所の論述書及び文化財犯罪に関する条約（文化財犯罪防止ニコシア条約で、メキシコは批准済み）の欧州評議会による採択を重点的に取り上げている。

また、様々な国際裁判所の多様な法律文書や判決が、文化遺産の破壊を戦争犯罪または人道に対する罪と見做す点で一致しているにも拘らず、文化遺産への損害またはその破壊を追求する取り組みは、文化に適用される法律文書の持つ不均質さに鑑みると、依然として統一性を欠いており、不確定要因に彩られている。

本要約でもう一点言及する必要があるのは博物館・美術館関係の領域である。そこでは、主要展示会の主催者の国際グループ（Bizotグループ）と国際記念物遺跡会議（ICOMOS）との間に存在する緊張関係を看取することができるが、それは文化部門独自の様々な主体間で行われる審議の状況を例証している。

Bizotグループの議論の根拠は、主要諸国の博物館には、現在とは異なる法制下で過去に取得した「文化財を収蔵する」権利を有するというものであり、略奪にあった諸国の文化遺産でありながら、「原産地から切り離されて」きた物件を集めた「普遍的博物館」という呼称を正当化する。このようにして—同グループの語るところに依ると—国際的な評価と研究に資するとするものの、「当該蒐集物については、取得手続きが明確さを欠いており、率直に言って不正な背景もある。」

問題の議論は、Bizotグループの声明の中に含まれているが、「文化遺産というものは、如何なる国にも属するものではなく、全体としての人類に属するものである」と主張しており、「結局のところ、(略) 物件がどこにあるか、また所有権を持つのは誰であるかというのは枝葉末節の問題と言えないこともない。」

このことは、先コロンブス期の遺産及び重商主義・帝国主義の時代に植民地化した諸民族一般に対するヨーロッパ中心主義の表れの更なる例を示しており、かかる表れが強欲で累積的な蒐集に道を開き、普遍的な文化の百科全書的構想で植民地化した諸国から強奪した遺産と関連付けられるようになった。その考え方の中では、被支配文化は「劣等」または「原始的な」ものとして表現され、当時のヨーロッパ諸国にかかる表現としての財を理解させ、文化に関する普遍的思考を剥奪せしめんとする意図の下で、「植民地から盗み取った財は、「野蛮」または「未開」な集団もしくは国由来のもの」と位置付けた。その議論については、本書の「ヨーロッパ中心主義と先コロンブス期の遺産」に関する評論の中で取り上げられている。

対極には、サンチェス=コルデロが引用するギリシャ人学者のアナスタシス・ミツィアリのような専門家が位置し、「文化的記念建造物の不正な撤去または破壊は、諸民族から歴史・伝統を奪い取ることであり、返還が損害を緩和し尊厳を回復するための唯一の手段である」と主張する。その立場は、メキシコの現政府が取っており、文化省、国立人類学歴史研究所及び外務省がこの分野で着手する様々な行動の基盤になるものである。

「法律の中での文化の挑戦」という評論の中では、サンチェス=コルデロは、UNESCOによって開催される、文化政策及び持続可能な開発に関する世界大会のMONDIACULT 2022を想起させてくれる。この大会は、1982年にメキシコ市で最初の大会が開催されてから40年後であり、また1998年のストックホルムでの国際会議の24年後の機会となり、メキシコ政府によって2022年9月28日から30日にかけて開催される予定である〔訳注：開催された〕。そこでは、文化遺産が様々な表現として直面している文化財の状況、不正取引及び種々のリスクに関する広範な議題を国際社会が議論することになる。

また、「新たな文化モデルの探究」の中で、著者は、文化財の返還を取り上げており、特にイタリアの事例に焦点を当てて、国際美術市場の中での国際協力及び国際的文化連帯の妥当性の検証を試みている。それにより、博物館は、道義的に合法で確実な来歴を有する文化財を展示するという目的の達成に資することになるであろう。

しかし、こうした考察が頂点に達する部分は、歴史を通じて存在してきた戦争の文化並びに当初の世界人権宣言にはないが、現世紀の戦争の中で行われた残虐行為に鑑み、2016年の国連総会で宣言された平和への権利宣言に含まれるに至った平和への普遍的権利に関する分析である。

とりわけ、積極的または多次元の平和に関する提言は注目に値する。その視点では、単に戦闘の停止または終結を達成するだけではなく、経済・社会開発そして言うまでもなく文化とその無数の表現とに結び付く平和の様々な構成要素の考慮をも重視する。積極的で持続的な平和の構築に於いて複数の共同体の参加を伴うことの重要性に直結する提言であり、多様性を不利な状況としてではなく、豊かさとしての理解、持続可能な生物文化的開発の目的と整合する官民の予算配分の中で優先順位を正当化し設定することが必要である。即ち、真の和平戦略のための要となる長期的にはフロイト、アインシュタインの考察に呼応する要素の熟考を我々に迫るものである。

文化遺産の現在と未来、和平樹立または平和維持の条件に対する新型コロナウイルス感染症（Covid-19）の分析は、本書『パクス·クルトゥラ』

では極めて重要な側面となる。

パンデミックが生み出したのは、―著者の指摘によれば―「生態系の異なった持続性への」真の「移動」であり、それは「従来型のモデルを放棄することを」要求するが、インターネットへのアクセスが未だに制限されている中で障壁に出くわすことである。即ち、我々は文化の民主的プロセスの中に居合せているのであると単純に示そうとしてきたものの、それは先在する不平等を激化させる可能性がある。

気候変動は、突発的な場合もあるが、常に一貫した形で、人間がその出自または将来の生物文化的空間との間で織り成す相互関係の中での混乱や、あらゆる生存種の健康にとって深刻である不可逆的な損害、そして文化遺産の保存と保護への期待の変質を生み出してきた。確かなことは、我々が、支配的な文明のモデルに関して従前の方向に進み続ければ、環境的大惨事の激化が切迫しており、そのことは、人類がかかる状況に立ち向かい、諸国民がアイデンティティと目指す道を回復し、平和を達成し、地球という我々の共通の家に居住する人間とその他の生物の間の不均衡の克服に有効な文化的指示対象を特定する時間の有無は別にして、人類にとって別の文明的道程の模索という挑戦を意味する。

それ故、グラスゴーで開催された第26回気候変動枠組条約締約国会議（COP26）での決定事項、とりわけ、文化に関する言及への見直しにもサンチェス=コルデロの関心は向けられているのである。グラスゴー会議では、メキシコの事例にとって特別な重要性を持つ「気候変動に関するあらゆる政策を立案する上では、先住民共同体、現地の共同体に対する諸義務を考慮し促進する」という提案がなされたが、そうした共同体抜きでは、適合と緩和の努力の成就は困難であろう。その社会空間を包摂しないことは、排除と周縁化を悪化させるだけになりかねない。また、グラスゴーでは、先住民の観点から母なる大地について議論されたことを指摘する必要がある。

それは、「そうした集団（先住民等の共同体）を環境保護に関する行動の立案と実施の任務の中に取り込む」というCOP26の締約国に対する指令である。気候正義と呼ばれる概念を分析・実施することは、この分野に於いて同様に重要事となるのが、2021年に発効したラテンアメリカとカリブ海諸国における環境に関する最初の国際条約であるエスカス条約に由来する新たな視点に立脚して、気候変動の原因と結果の熟考である。

本書『パクス・クルトゥラ』は、「文化の緩和・適応・回復力」に関する考察によって締め括りとなるが、著者は、そこで私が妥当であり、緊急的でもあると考える「文化遺産のリスク予防、適合及び監視の諸概念、延いては国際平和維持の概念の再定義が必要であり、気候変動の是正には、人文・社会・自然科学間の相互作用を促進するような全人的取り組みが不可避である（略）。気候変動は、文化・自然生態系の不安定と脆弱性に対する新たな次元を提供することになるであろう」という呼びかけを行っている。そしてそのことは、1972年の世界の文化遺産及び自然遺産の保護に関する条約の採択50年後に、その意味と目的を深く掘り下げた改正等への道を開く。

かかる方向性は、生態学的環境及び生物多様性を破壊し、それを蝕むだけでなく、社会構成と生物文化的関連性（絆）を引き裂く社会環境的対立事例が増加する状況を目の当たりにして、人権を環境に統合する新たなプロセスを意味している。

本書の最後のいくつかの評論の中で、サンチェス=コルデロはメキシコに視線を向けて、グローバル化の進展と新ナショナリズムの復活の状況を前に、ナショナリズムと多文化主義のテーマに関して深く掘り下げた考察を行なっている。それが、我が国の歴史上の武勲、動揺する現在及び望ましい可能な将来像の多くについて十二分な理解を図る上で不可欠な議論であることは言を俟たない。

結果的に、政治的利害や現在の状況によって常に複雑な状態を呈しているかかる状況への国家の介入について、サンチェス=コルデロが重視していることが看取されよう。同時に、共同体側の対応、社会的動員や1968年から1976年まで『エクセルシオール』紙編集長を務め、著者が寄稿する週刊誌『プロセソ』の創刊者であったフリオ・シェレールのような思想家、知識人やジャーナリストによる批判のインパクトの分析についても紙面を割いている。

ホルヘ・サンチェス=コルデロは、20世紀のかなりの部分で文化遺産の実利主義的で遺産至上主義的な見解がいかに優勢であったか、そしてそれが、権力側から決められるイデオロギー的負荷を伴う、官民の間で激しい緊張を生み出したか、その経緯を解説している。こうした負荷は19世紀のメキシコに起源が求められ、過去の先住民的要素での起源と定着への想いを支えるための考古学的保存が最初に勢いを得た時期であるが、生存する先住民部族は、征服後今日に至る5世紀の間、差別、支配、略奪及び社会的排除の標的とされてきた。

我が国が200年前に国名を採用した都市のメヒコ－テノチティトランの遂げた偉業、1910年に始まるメキシコ革命が終焉し、ラサロ・カルデナス政権（1934年～1940年）時に頂点に達したことに立脚する言説は、制度化された、統合主義者的先住民主義〔訳注：先住民の独自文化の再評価と社会的地位の向上を求める運動〕に変化させ、かかる先住民像は、1946年から1970年まで主流であった所謂「安定的発展」という状況の中で、先住民族を国内市場及び生産、流通、交換と消費から成る領域に含めるという前提で、識字教育とスペイン語化が、国の進歩の中への取り込みに資する可能性を想定していた。

統合主義的な先住民主義と公共政策の中の先住民向け部分の崩壊を決定的にしたとも言える二つの時期があった。1968年の学生運動と1994年のチアパス州でのサパティスタ政治社会集団の蜂起である。そうした中で、ギジェルモ・ボンフィル=バタジャ（『深遠なメキシコ』の著者）のような優れた思想家たちによる徹底した批判と結び付いた新しい人類学が出現し、「メキシコ国民は、植民地化が開始したときに、現在の国土に居住していた住民たちの子孫であり、固有な社会・経済・文化・政治制度を全体または部分的に保持する先住民族に原型を持つ多文化的構成となっている」（メキシコ合衆国憲法第2条）という憲法上の承認は、国の随所で、21世紀に我々の多様なアイデンティティと生物文化遺産に取り組むための新たな規準を示すものである。そして、この国の市民たちの間での共存と相互作用及び我々と世界との対話が行われ、展開するあり方に影響を及ぼす。

この点に関して、サンチェス=コルデロは「多文化主義はメキシコの不均質性を重視した。20世紀に国の政治エリートたちが上から強要した唯一の国民文化の優越は、文化的諸表現と帰属意識が開花する場所が共同体であるという証左の前に断念された。」と断言する。この明言は、展望と戦略として我々が共有するところである。

本書の最後の考察の中で、「集合的記憶と社会的絆の能力」を高めながらも、実際には社会的絆を虚構と化した後で、遺跡と記念工作物に纏わる言説の中へのデジタル化（デジタルの世界）の突入に関する議論を提起している。即ち、個人の記憶の中に入っている新たな画像や概念であり、遺跡や記念工作物に関する先在の集合的記憶とは相容れない可能性を持つものである。この辺りは新たな分析と研究の領域になることは疑いがない。こうしたことは、遍く、省庁や分類を徐々に新しいものへと変えていく状況を作り出しており、当然ではあるが、「この文化的対位法の上に国民のアイデンティティを築く現代の挑戦」の一部として、社会的緊張と分断を引き起こしている。

「新たな文化モデルの探究（II）」の中で、サンチェス=コルデロは、「メキシコの壮大さは、新たな文化モデルを見据えて21世紀の幕開けに枢要な議論を導入している点で、時代の模範となる価値観を提示しているところにある。互恵、連帯及び協力の国際的な価値観は、原産諸国による返還要求の正当性を除外するものではない（略）」。実際のところ、メキシコは今日、アイデンティティの本質的な構成要素としてのみならず、国際社会での新たな在り方の提示者として、多文化主義に向けての深淵な変化を遂げつつあり、我が国の今後の姿や国際関係に於いて、新しい対話や新規の進路を生み出している。

ディエゴ・プリエト＝エルナンデス
（メキシコ国立人類学歴史研究所（INAH）所長）

本書紹介

『パクス・クルトゥラ　―平和構築の要諦としての文化』と題する本書の一般的なテーマは、明白且つ容赦ない一つの現実についてである。昨今、世界的に生じている文化財の破壊、宗教的急進主義及び数々の紛争は、有形無形の人類の文化遺産に対して甚大な悪影響を及ぼしてきている。そして同遺産の防護は、絶えず一つの挑戦に晒されている。それは戦争の文化であり、武力紛争が諸国民の文化に引き起こす損害を軽減する目的で採択された諸国際条約の綿密な遵守に緊張をもたらした。

国際社会による国際連合及び国際連合教育科学文化機関（UNESCO）に対する委託である平和の不断の追求と紛争の平和的解決には、議論の余地がない。しかしながら、国際社会は、激増するかかる衝突を目の当たりにして、茫然自失のまま現実を凝視している状態にある。

戦争の文化は数多くの考察を呼び起こす。メキシコのような国にとっては、この好戦的な意図は絶対に受容できない。今こそ、この戦争の文化を平和の文化に変貌させる必要がある。

そしてこのことは、正しく、本書の訴えであり存在意義である。実際、ホルヘ・サンチェス=コルデロの主張には、国際社会で発せられている多くの賛同の声が寄せられている。内外の社会的緊張は、文化を通じて軽減が可能であり、またかくあるべきであると断言する趣旨が本書で確認される。

上述の状況を前に、本書は出版的にも学術的にも、そして極めて時宜に叶った考察内容に支えられる貢献である。メキシコ国立人類学歴史研究所（INAH）所長である著名なディエゴ・プリエト=エルナンデス博士による秀逸な序文で始まる本書は、ホルヘ・サンチェス=コルデロ博士の著作である。

ホルヘ・サンチェス=コルデロ博士の主張は、国際的に広く知られてきている。在パリ比較法国際アカデミー（International Academy of Comparative Law/Académie Internationale de Droit Comparé）の5名の世界的権威の一人にとして高い評価を得ている博士は、限定された国際機関のメンバーとして傑出した活動を展開して来ている。一例を挙げれば、私法統一国際協会（UNIDROIT）、国際文化財協会、文化財法及び芸術法研究国際協会、国際法協会（ILA）、アメリカ法律協会、ヨーロッパ法協会及び法学国際協会である。

従って、本書『パクス・クルトゥラ　―平和構築の要諦としての文化』の紹介役を務めることは幸甚である。

ラウル・コントレラス=ブスタマンテ
（メキシコ国立自治大学法学部 部長）

パクス・クルトゥラ

平和構築の要諦としての文化——目　次

I. ウクライナに於ける戦争

暴力と文化（I）

平和に関する熟考、平和主義的理想主義及び文化遺産の保護を語ることは、この時期にあっては童心の極みと言えるかもしれない。それどころか、ウクライナでの人道的な悲劇を目の当たりにして、不毛そのもので甚だしい見当違いの行為とも取られかねない。ましてや、平和と、脆弱という深刻な揺さぶりを受けている今にあっては尚更である。

しかしながら、同様の難局の最中にあっては、この種の論考は適切でないと断言することはできない。20世紀の方向と21世紀の幕開けに多大な影響を及ぼした世界最高の知性たちは、平和主義運動の中核を成す国際社会に於ける顕著な努力と歩調を合わせた熟考の数々を通じてそのことを表明した。メキシコ外交の伝統は、こうした主義思想に根付いている。

第二次世界大戦後、戦争と平和に関する議論は、灰の中から蘇ったフェニックス（不死鳥）の如く再開されたが、当時の共産主義及び資本主義によって同等に主張された人道主義理論を論争対象とした点で、以前の議論とは異なった性質を帯びていた。実際のところ、その軍事紛争の間に人類が目の当たりにした大惨事の結果の一つは、深刻な社会危機であった。

イギリスの思想家のエリック・ホブズボーム（1917年～2012年）によると、世界的な社会・経済政策に由来する不確実性を超えるこれらの危機に固有の特徴は、近代社会の根幹を成すドグマや信条の弱体化と関係があった。それに続いたのは冷戦とグローバル化であった。

20世紀のこの点への言及が不可避である側面の一つは、アルバート・アインシュタインとジークムント・フロイトの広く知られた往復書簡である。両者は、宇宙に関する理解と人間についての概念形成を変化させた。前者は科学への深い造詣によって、後者は人間の動機を取り巻く闇を解明することを通じてであった。

アインシュタインは、UNESCOの前身であり、当時の国際連盟の下に設立された国際知的協力委員会（ICIC：1926年～1939年）のメンバーであった。この団体は、フランス人物理学者マリー・キュリー、フランス人哲学者アンリ・ベルクソン、メキシコ人のアルフォンソ・レイエス及びアルベルト=J・パニなどの傑出した知識人や科学者を擁していた。既にその当時、アインシュタインは1921年にノーベル物理学賞を、フロイトは文芸的貢献により名誉あるゲーテ賞を受賞している。

パリに本部を置いていた同委員会は、アインシュタインに著名人たちと往復書簡を交わす役割を委任した。アインシュタインは、フロイトへの連絡を躊躇わなかった。フロイトの性的欲動を中心とする研究の結論とは一線を画していたものの、著作の科学的叙述に対して多大な敬意を表明していた。彼らの初期の往復書簡では、戦争を放棄し世界平和を希求する平和主義よりも、戦争が存在しない状況である平和を優先させており、あらゆる武力紛争への非難を表明していた。

両者の交流は、1932年に*Warum Krieg?*（『ひとはなぜ戦争をするのか』）の出版として結実したが、当時、主流であった戦争を挑発する空気が暗影を投げかけることになった。戦争の始まる兆候が色濃くなりつつあったため、この往復書簡はナチ政権により発禁処分となった。

その当時徹底した平和主義であったアインシュタインの主張は綿密であった。武力衝突の状況を作り出す目的で、諸国の政府が、愛国主義的な感情や、個人の命よりも優先させる自己犠牲を巧に駆り立てる心理を鼓舞・操作する教団やメディアのようなエリート主義的階層に訴えていることを警告していた。

フロイトの返信は、全著作に遍く当てはまるように極めて物議を醸す内容であった。その重要な前提の一つは、文化の超越に関するものである。結論は重要である。武力を思想の力に置換しようとするあらゆる試みは失敗に帰した。力の行使は、権利の適用に固有であるとも明示していたが、争点は人間が自己の利益よりも熱情を優先し、その合理化のために自己の利益を使用することにあると指摘していた。

フロイトは、全ての武力紛争が非難されるべきではないと示し、その敷衍として、神聖ローマ帝国の戦争と小アジア（アナトリア）モンゴル人による大規模な侵攻（1241年～1243年）を対比させた。そして、前者は、*パクス・ロマーナ*を課したことによって地中海地域の安定に寄与したとしたが、後者は、災難をもたらすだけであったと主張した。フロイトのテーゼは明確である。主戦論は時には平和の獲得にとって必要であるとした。

戦争の回避は、文化的な繋がりと戦争への恐怖を通じてなされると結論付けながらも、当時そのフロイトのテーゼは目新しいものではなく、『幻想の未来』（1927年）の中で既に展開されていた。同書によると、人類の文化的発展は、文明の社会的不満を低減させうる唯一の手段であるから、人間の目指す道を受託する受け皿となる。その結果、戦争のリスクを低減できる要素は、優れて文化的要素に他ならない。

フロイト学説が文化を明確に強調することは明白であり、文化が人間に対して自分の最上の姿を表すことを可能にする。従って、新しい世代の人々は文化を夢即ち幻想として抱くことが必要であるとする点にその真髄がある。フロイトによれば、人間は文化的壮麗を通じて崇高な価値観と理想に達する可能性を有するものである。結論は揺るぎない。文化の発展に貢献するものは、全ての反戦についても同様に貢献するものである。

アインシュタインの後の議論には明確な振り子運動が観察される。1953年に日本人哲学者の篠原正瑛に宛てた書簡の中で、自身の平和主義者としての確信に変化はないとしながらも、その確信は無条件ではないことを明らかにした。そして、「積年の敵が自分の壊滅や同胞の殲滅や服従を目論む時には、武力の行使は必要である状況が存在する」と説いた。

アインシュタインは、このように、自衛目的及び不介入の原則に違反するような事態についても武力行使を正当化していた。そして既に1951年の往復書簡以降、フロイト同様に、文化の要素の重要性を熟考するようになった。人間の目指す道は、文化的倫理の発展と不可分であり、文化的倫理こそが戦争回避のための唯一の手立てである。

フロイトとアインシュタインが至った結論は、現代にも紛れもなく影響を及ぼしており、唯一の実現可能な平和主義的道は、社会的暴力の根源である対立の解消に焦点を合わせた国際組織・法律文書と関連付けられたものであると断言することで一致している。両者は、文化、正義及び安定を伴わない平和は、平和を装っているものの、実際は似て非なるものでしかないと述べている。

エピローグ

『マニフェスト2000（わたしの平和宣言）』の中で、ノーベル平和賞受賞者たちは、人々の間に理解があるためには、お互いに聞く耳を持つことであり、表現の自由と文化的多様性を擁護する必要があり、狂信主義、誹謗中傷、同胞の拒絶に屈することなく、理解と対話を優先することが肝要であるという趣旨で合意した。

この点に於いて、現代の最も権威ある哲学者の一人であるエドガール・モラン（1921年～）は次のように強調している。「文化は、世代から世代へと受け継がれる知識、専門技能（ノウハウ）、規則、規範、禁止事項、信条、価値観、神話の総体によって形成されており、各人の中で再生され、社会の存立を規制し、心理的・社会的複雑性を維持するものである。」

文化とは、結局のところ、武力紛争を断念させるための最良の防御手段であることは動かし難いのである。

暴力と文化（II）

ウクライナの戦争や世界で起きた他の多くの武力紛争は、その残虐さに対する嫌悪感を引き起こした。人々の尊厳に対する深刻な侮辱を見せつけたからである。ウクライナでの武力衝突の残虐な映像は、人間の卑劣さを示すものとして集団的記憶に残るであろう。かかる事態を前に、国連総会は人権理事会でのロシア連邦の資格停止を決定した。過去に於ける同様の決議の事例は、2011年3月のリビアの場合である。

西側諸国が戦争に巻き込まれている間、平和、平和主義の理念及びその支柱の一つである文化を分析することは、社会的には非難の対象となる懸念もあろう。それどころか、叛逆的行為の誹りをも免れないとも言えよう。

しかしながら、今や、平和と平和主義運動の法的枠組みを強化する機運をどのように再び高めていくかを定める好機であるため、その分析は重要極まりないのである。もちろん、そのことだけが重要なのではなく、ウクライナを含む武力紛争の影響の中での文化遺産の破壊を強く非難することも不可欠である。

平和を求める文化

1984年11月に、国連総会は、諸国民の平和への権利に関する宣言を採択し、1986年を国際平和年と宣言した。

このイニシアティブは、ノルウェーの社会学者ヨハン・ガルトゥング（1930年～）の著作にその根源があり、その提唱は、後年、ペルーのフェリペ・マクグレゴール司祭により、共著である『平和の文化』の中で進展を見た。それは、ペルーが、反体制組織のセンデロ・ルミノソ（輝く道）の活動と関係する社会紛争の渦中にあった時期である。

しかし、著名な科学者たちにより起草された1986年の「セビリア声明」が、これらの公理の受け皿となったことは言を俟たない。同声明は、戦争は、遺伝子や暴力の精神、人間性または本能の持つ宿命ではないと結論付けた。戦争は、社会的に構築されたものであるから、「もし人間が自ら戦争を発明したのなら、平和を発明することも可能である」と主張した。

この声明は、1989年11月にUNESCOにより採択されており、これまでに戦争の文化が存在してきたのだから、人類は平和の文化を作り出すことができると考える点で際立った相違があることを指摘している。戦争は人間性に固有であるという仮定や、更に、暴力は生物学的な宿命であるとする主張は、科学的根拠を欠いている。奴隷制や人種または性別に基づく支配的文化の廃止が示すとおりである。

戦争の文化は、軍事組織に於いても兵器生産に於いても、特にここ数十年の間に目覚ましい進化を遂げてきた。その文化の形態には、生物学的進化ではなく文化的進化の面で突然変異が起きた。思想やイデオロギー的土台の形成のための社会的な構築物の一つであるとことのさらなる証左である。

上記に加えて、諸国の政府が、軍部や一般国民に、敵への批判や疑念を抱かせる感情を吹き込むための作為的な社会的扇動に訴える傾向が、一層顕在化しつつあることも付言する必要があるだろう。

とはいえ、この心理的操作は目新しいものではなく、遥か昔から存在する。古代ギリシア人の間で、近隣の蛮族に対する優越意識を展開させた汎ギリシア主義的思想は、隣保同盟〔訳注：近隣の都市国家や部族間で結ばれた同盟〕、神託及びオリンピックに最も力強い表現で示された。

こうした説教は、ギリシア人の好戦的行動を超えて、古代ギリシアの派閥間の武力紛争を鎮圧するには力不足であり、更には都市や都市連合による、対抗相手を公然と辱める目的でのペルシアという共通の敵との同盟の抑止については無力同然であった。

UNESCO

「セビリア声明」に続いたのは象牙海岸のヤムスクロ宣言であり、UNESCOの後援の下で開催された「人間の心の平和に関する国際会議」の中で表明された。生活、自由、連帯、寛容、人権尊重及びジェンダー平等への尊重という普遍的な価値観に基づく新たな平和観を促進する必要性を強調するものであった。

その結果、UNESCOは、1995年に平和の文化への1996年～2001年のイニシアティブを推進した。後に同機関の事務局長に就任したフェデリコ・マヨールは、文化に関する画期的な定義を奨励した。その中で、文化は社会的共存の表現であると示し、「人間の生活を織り成す縦糸である象徴的・美的・有意義な要素の総体であり、社会的共存に揺り籠から墓場までの持つ意味と目的を纏め上げるものである」と付言した。

この概念は、生活への尊重、暴力の拒絶、教育・対話及び協力による非暴力の促進と実践に立脚する価値観、態度、行動及び生活様式の総体として捉える平和の文化論によって補完された。

このプロセスは、2000年を平和の文化国際年とする宣言で頂点に達し、世界の子供たちのための平和と非暴力の国際10年とする宣言がなされて、行動計画を添えた平和の文化のためのプログラムの採択として結実した。

文化遺産

平和と平和主義運動を活性化させるための称賛に値する努力にも拘らず、20世紀末から21世紀初頭にかけて、武力紛争が止むことはなかった。そのため、1982年にメキシコ市で開催された文化政策に関する世界大会（MONDIACULT）では、諸文明の文化的価値を磨耗させる交戦状態によって度重なる妨害を受けてきた世界で、当該価値を保全して人類の利益のために定着させるための努力を惜しむことはできないことを明確に示した。

その後の行動では、論争の解決メカニズムを模索することによって敵対行為に終止符を打つことを始め、国際人道法の諸原則を遵守し、文化・自然遺産及び教育・科学・文化機関の保護を集中的に取り組んだ。このイニシアティブを巡る作業は、1980年9月22日に始まり、1988年8月20日に終了した。

その時期にイラン・イラク戦争（1980年～1989年）が勃発し、とりわけペルシアの文化遺産に流血を伴う重大な損傷が生じた。イラクによるクウェート侵攻（1990年～1991年）も、文化遺産の深刻な損傷をもたらした戦闘である。この紛争の第一段階に、サダム・フセインは、クウェート国立博物館から所蔵の至宝のアル=サバ（al-Sabah）コレクションを撤去させるよう命じ、結局はバグダッド博物館に移された。また、モロッコのフェズ由来の見事な木製扉は撤去できなかったため、イラク軍は破壊を選択した。

第二段階では、イラクはアル=サバ・コレクションの返還を余儀なくされたが、その際、奇妙な除外行為を行った。何点もの品目が不足していたが、1997年にヨルダンとの国境地帯に突如として現れた後に、同地で押収された。

バルカン諸国間の戦争（1991年～2001年）も、文化遺産の首尾一貫した破壊を意味するものであった。その最も残忍な証拠は、ボスニア・ヘルツェゴビナのモスタル橋への攻撃であった。それは、イスラム地区の側とカトリックのクロアチア側を結ぶ16世紀に建造された建築物であり、オスマン帝国時代の究極の象徴であった。爆撃を命じたのはクロアチア軍のスロボダン・プラリャク将軍であった。後年、プラリャクは、旧ユーゴスラビア国際戦犯法廷（英語の略語でICTY）の場で戦争犯罪人と示されたことから、服毒自殺の道を選んだ。

モスタル橋の破壊後、人類の世界遺産に登録されているクロアチアのダルマチアにある沿岸都市のドゥブロヴニクへの爆撃が行われた。両方の事例は、文化遺産の保護に於ける常軌を逸した過失、及びとりわけ武力紛争に関する国際文化法の不遵守を象徴する出来事である。

それどころか、それらの攻撃が卑劣にも意図的なものであったこと、更には、上記の遺産自体への攻撃の意図だけでなく、当該地域社会の習慣を共有する生活や宗教的交流並びに平和的な共存の崩壊を狙う悪意ある目的があったことは様々な証拠が示すとおりである。

アフガニスタンの事例も悲痛である。1988年にソ連がカブールから撤退した後、国立博物館はタリバンによる略奪の限りが尽くされた。更にタリバンは、ガズニーとヘラートの博物館に対しても徹底的な破壊を行なった。無事であった僅かながらの所蔵品も、最終的にはそのイスラム過激主義勢力によって破壊されるに至った。

同国での度重なるあらゆる種類の紛争—内戦、占領、タリバンの原理主義—は、バーミアン大仏の破壊と国内の数々の国宝の略奪に象徴される、アフガニスタンの文化遺産の大量破壊をもたらした。タリバンが復権した今、破壊略奪を免れた国の文化遺産は壊滅寸前の状態にある。

同様の損失はイラクやシリアにも見られた。一例を挙げれば、アレッポのような、地球で最高の文化的豊かさを誇る地域の一つでの文化財の破壊行為と重大な損傷は、当該地帯を文化的に変貌させてしまった。今日に至るまで、その経済的損傷を数値化することは困難ではあるが、人の想像を超えるものであることは明らかである。

エピローグ

ウクライナでの流血の戦争は、文化遺産に反対する人間の卑劣さを付け足す一例である。様々な軍事行動の特殊性から視点を逸らすことなく、一つの明瞭な共通点を持った要素があることが看取される。文化財を破壊する意図とそれによって過去の存在感を奪うことである。

その結果、アイデンティティの繋がりを変化させ、知識の伝達を妨げ、諸社会による時間の政治的な回復が阻害される。

文化遺産は敬虔な実践と優れた結合を可能にする精神性に向かう自然な媒体である。そのために、平和と安定、進歩と発展を保証する普遍的な公共財として概念化された。

国連の安全保障理事会は、文化遺産の保護が、国際社会の平和と安全保障の維持を強化する上で決定的な要素であることを明確に表明している。

政治的暴力と文化の保全

1941年4月のドイツ軍によるギリシア侵攻が切迫する前年の12月、イギリスの日刊紙『タイムズ』の論説委員であったヘンリー・ハミルトン=ファイフは、重要な同盟国であるギリシアに対する称賛と感謝の表明の証になり得るとして、イギリスは、戦後にエルギン・マーブル（パルテノン神殿の彫刻）の同国への返還を約束すべきではないかと主張した。戦中に地中海東部を支配し、そのためにギリシアの愛国心を鼓舞する必要があるとする寛容な目的であったが、軍部の思惑とは異なるものであった。当時エルギン・マーブルは、ロンドンの地下鉄のアルドウイッチ駅内に保管されていた。

ウインストン・チャーチルの政党の一員として保守党国会議員であったセルマ・カザレット=キアは、この提案を理解し、1940年に議会が休会に入る前に本会議に提案した。その後大蔵省に出向き、議会と大英博物館の間の仲介役を依頼した。カザレット=キアは、ファイフの論拠に、美術品は原産地と結び付いているべきであるという異例なコメントを付け加えた。しかしながら、この論拠の独自性は、初代ウェリントン公爵、イギリス軍の司令官であり、ナポレオン戦争後にナポレオンによる略奪品を各々の原産地に返還するよう要求したアーサー・ウェルズリー（1769～1852年）の発案にある。かくして所謂ウェリントンの原則が誕生する。

カザレット=キアの提案は、外務省のギリシア担当官であったW.L.C・ナイトに送付されたことで激論を巻き起こすことになったが、アンソニー・エデン外務大臣に届いた時には、反論が添えられていた。議論が展開された後に、イギリスの官僚組織の上位５位の役職である王璽尚書（Lord Privy Seal）を務めていたクレメント・アトリーが次の―簡潔な―「政府は、かかる目的を有する法律を立案する態勢にない」という回答を寄せた。この論争の記録は、明白すぎる理由で、イギリスの公文書館に厳重に保管されている。

同提案は、1942年10月に労働党国会議員のアイヴァー・バルマー=トーマスにより手を加えられた。バルマー=トーマスは、英国はナチスの占領に対するギリシアのゲリラの抵抗に謝意を表明すべきであるとチャーチルの政府に強く迫ったが、明らかな植民地主義者の過去を持つチャーチルの無言の対応は、雄弁に勝るものであった。

これらの事実は本分析にとって重要であることは、文化遺産が歴史の中で外交術の見返りとして多用されてきた経緯から理解される。しかも、文化財の返還に関しては、一切の技術的・文化的考慮を別にしても、その取り組みは多様であり、そこには政治的状況との交錯状況が看取される。

そのような水面下の事実に対応するのが国際美術市場の新たな構造であり、とりわけ、考古学財の中でも武力紛争地帯由来の考古学財に関するものである。文化遺産、特に中近東の考古学遺産の略奪は、激しい政治的・文化的暴力と結び付いてきた。テロ集団によるこうした行為は、原産国及び目的地となる国々の双方で同様に劇的な表現を施された。それは特に目的地の国々に強い懸念を生じさせた。

かかる状況によって、目的地となる国々は、略奪文化財の市場への流入を阻止し、この手段を通じた犯罪集団の資金調達に歯止めをかける法的措置の採用を迫られた。その一例として米国と最近では欧州連合が挙げられるが、国際的安全保障と文化的安全保障が関わり合っている現状が鮮明になる。

明確に特定された地帯での政治的変動性とその結果としての不安定さは、とりわけ、文化的破壊行為が横行する温床となった。破壊は、宗教・民族遺産の略奪と冒涜、イデオロギーの普及、民兵の補充または選択的破壊を通じて恐怖を植え付けるという多重効果を伴って体系的に行われた。

宗教、民俗または考古学遺産は、あらゆる軍事的重要性を欠くものであり、または武力攻撃に付随する被害を狙う対象でもないことは極めて明白である。その破壊は、本質的に政治的動機に依るものである。目的は、特定のイデオロギーに反するあらゆる文化的表現を根絶することである。従って、集合的記憶の一掃は、これらの集団にとっては、結束の要素としての文化的アイデンティティの付随的創造であると共に主要目的の一つになる。

文化を破壊する行為は、当該テロ集団と犯罪組織との間の共生関係を作り出し、国際社会に於ける不安と懸念の要因となる。

法的機能不全

1948年、「集団殺害罪(ジェノサイド)の防止及び処罰に関する条約」(Convention on the Prevention and Punishment of the Crime of Genocide) が国連で採択された時に、「文化的ジェノサイド」の概念の導入が試みられたが失敗に帰した。実際のところ、国連総会第6委員会は、その用語を故意に除外している。

1958年になって漸く、より控え目な用語で、武力紛争の際の文化財の保護のための条約 (1954年の条約) 及び第一議定書が採択された。第二議定書の採択は、1999年まで待たなければならなかった。この条約に続いたのは、「文化財の不法な輸入、輸出及び所有権移転を禁止し及び防止する手段に関する条約」(1970年の条約) 及びその後の「盗取された又は不法に輸出された文化財の返還に関する条約」(Unidroit条約) であり、これらは平時に於けるかかる事象を規制するために策定されたものである。

採択とその後の批准に関する善意はさて置き、これらの条約は、テロ集団や犯罪組織の出現、体系的な文化の破壊行為及び文化財の商業化のための新技術を目の当たりにして、文化遺産の保護については明白な機能不全を露呈した。

上述の事象で主役を演じるのは、犯罪組織や原産国に居住する独立支持者集団のような非政府関係者である。

20世紀の末葉から21世紀の初頭にかけて何度となく引き起こされた文化的破壊は、非拘束的宣言・国際条約・合意等の内容の持つ両面性を詳らかにしており、そのために、文化・宗教・考古学遺産は、略奪の真っ只中に放置されてきた。

政府への揺さぶりを通じて、非政府関係者は、警察を膨大な治安維持任務に就かせている。そのため、宗教・考古学遺産は、不正発掘や文化財の不法取引に翻弄されている。その破壊が、この新国際文化秩序の遵守に対する挑戦を意味することは言を俟たない。

政治課題

テロと政治的暴力と結び付いた文化遺産の略奪は、国際的安全保障にとって深刻な結果をもたらす。過激派集団は、多額の大幅な政治的・金融的利益を得るために文化の破壊行為を働いてきた。闇市場でのその利益の重要さは、麻薬取引、白人女性の売買や武器取引由来の資金に匹敵する程である。

崇拝のための偶像を破壊するという偽りの論拠を掲げて、犯罪者たちは臆面もなくそうした偶像を市場に出すことによって利益を上げてきた。過激派集団による文化・宗教・民族・考古学遺産の破壊を政治課題に加えて、文化テロ作り出している。更に悪いことには、これらの組織は、略奪と破壊を制度化してきており、所謂イスラム国（IS）の場合では天然資源局（Diwan al-Rikaz）を創設して、考古学的構造物の探査と販売の許可の付与に当たる考古学課を管理した。このことは、2015年5月に米国陸軍の対テロ特殊部隊のデルタフォースによるおとり捜査で明らかになり、ISの金融担当者のアブ・サヤフは殺害され、50個以上のUSBメモリーと多数の骨董品が押収された。

この破壊に関する様々な解釈の一つは、宗教記念物と文化財の持つ政治的価値に焦点を当てている。この種の不正取引が政治的暴力の手段に転化することは明白である。

犯罪集団により盗取された文化財に対する国際美術市場の貪欲さは、文化遺産の保護にかかる費用を深刻なまでに押し上げた。一つの重大な事実は、当該文化財の商業化を通じて、犯罪集団の金融力が増大したことで、国際的安全保障に対する重大な挑戦となっている。更に、目的地となる国々の内部を含む、様々な状況の中での政治的な暴力が現実のものとなる。

先の記述は、文化財の破壊が様々な政治課題の中で戦略として使用される可能性に関する国連安全保障理事会の反応を説明している（決議2199、2249及び2347）。そのため、安保理は国際社会に対して文化財の不正取引の防止・抑制を要求した。

最近の総体的な兆候は、民族浄化や宗教的迫害の正当化を狙う過激派集団の行動の要約の部分として、この病的状態が破壊的に蔓延することを示している。

国際美術市場は、犯罪組織と多種多様な蒐集家の間の持続的な相互作用を確認しており、それが、過激派集団に対して文化財の不正流出を可能にする基盤を提供してきている。無血の犯罪と婉曲的に評されていたことは、蒐集家とテロ集団の間の共生関係を助長してきた。

その結果として、蒐集家の政治的リスクは高まり、テロが必要とする盗取された文化財の商業化の機会が減少した。国際社会が、この事象の新たな出現を阻止するための国際的な法律文書の準備への無気力さを露呈する中、目的地となる国々は、考古学財を中心とする文化財の輸入を著しく困難にさせざるを得なくなった。

ここで強調が必要なことがある。国際美術市場の新たな法体系の目的は、文化そのものの次元を超えて、過激派集団が政治的暴力の正当化の目的で繰り返し行う文化の破壊行為を軽減することである。目的地となる国々にとって、考古学財を中身とする文化財の流入増が、蒐集家の政治的責任を増大させ、各々の領土内での政治的暴力の激化を助長し、社会を震撼させるに至った。

エピローグ

非拘束的宣言・国際条約・合意等の断片化は、内容の解読は困難で容易に混乱する状況を作り出してきた。しかしながら、こうした新たな現象の扱いに於いて、識別が可能な傾向が存在する。

所謂G7文化グループは、高度な経済力を誇る先進諸国を集結したものであるが、2017年3月、イタリアで第1回G7文化大臣会合が開催された。所謂フィレンツェ宣言は、テロ集団に関する課題と文化財の不正取引の関連性、即ち、包括的な優先順位と見做される側面を曖昧にさせている。

司法関係者は、文化遺産の組織的破壊の重大性を徐々に考慮し始めた。ハーグの国際司法裁判所は、文化的ジェノサイドの概念の存在を拒絶したとは言え、文化の破壊は民族浄化（*Bosnia y Herzegovina v Servia y Montenegro case*）の重要な要素であったことを支持する考慮を窺わせる。旧ユーゴスラビア国際刑事裁判所（ICTY）は、その基準に固執した（*Prosecutor v Krstic case*）。しかしながら、この種の犯罪は、共同体のアイデンティティの破壊という卑劣な目的の下で遂行され、人道に対する罪と見做しうる（*Prosecutor v Tihomir Blask case*）。

然るに、国際刑事裁判所は、2016年9月に、アフマド・アル・ファキ・アル・マフディに判決を下し、同被告人は、戦争犯罪及びマリのトンブクトゥのイスラムの霊廟への冒涜により、現在スコットランドの高警備刑務所に収監されている。この事例は、国際テロと文化遺産の組織的破壊のこうした共生関係に対する最初の有罪判決である。アル・マフディは、イスラムのマグリブ地域で活発な活動を展開し、宗教的浄化の明白な様相を呈していた組織のアルカイダ（Al-Qaeda）に属していた。

欧州評議会（Council of Europe）も手を拱いてはいなかった。文化財犯罪条約を採択した（ニコシア条約、メキシコは批准済み）。欧州連合（EU）は、2019年の指令で、考古学財を中身とする文化財の輸入への厳しい統制を課す決定をした。

テロと文化財の不正取引の間のこの関連性が、文化遺産の保護状況の改善をもたらしたことに大いなるパラドックスがあり、特に大きな影響を受けたメキシコは、自国の考古学・文化遺産に関わるこれらの基準が国際舞台に登場するとは予想だにしなかった。

刑事司法と文化財

モスタルは、ボスニア・ヘルツェゴビナのネレトヴァ川の流域に築かれた都市である。15世紀から16世紀にかけて都市開発が始まり、19世紀から20世紀初頭にかけてオスマン帝国と国境を接していたオーストリア・ハンガリー帝国の支配下に置かれ、バルカン諸国の中で傑出した軍事的重要性を有していた。

モスタルは、オスマン帝国以前、オスマン帝国、東洋、地中海、トルコ、西洋という多種多様の様式の住宅に周囲を囲まれており、その状況は多文化的構成であることを示している。イスラム教徒、セルビア正教徒、セファルディムが、その地で、モスク、教会とシナゴーグと共に4世紀以上の間共存してきた。

都市構造の中では、オスマン帝国時代のシンボルである「古い橋」（スタリ・モスト）の地区が最も際立っている。旧市街とスタリ・モストは、オスマン帝国時代随一の建築家であったミマール・スィナン（またはスィナン・アーガー：Mimar Signan Agha, 1488年/1490年～1588年）のモデルに従って、1565年にミマール・ハイルッディン（Mimar Hajrudding：1500年頃～1570年頃）によって設計された。旧市街も橋も、1990年代のボスニア・ヘルツェゴビナ紛争（1992年～1995年）によって、無惨にも破壊されてしまった。これは、様々な視点に立脚する国際的な論争の幕開けになった紛争である。

その一つは、文化浄化または防止への熱意に関わっているが、そこには民族の要素が混在している。ジェノサイドの形式が文化的領域に移し替えられることがこの前提から推論される。

文化は現地の住民との間に分離できない結束があるだけでなく、諸国民の存在の一部を成すものである。従って、文化ジェノサイドは、民族の要素が加わることによって重要さを増す。

スタリ・モストの破壊に関する別の視点の一つは、刑事責任の免除としての軍事上必要な分析である。

法的枠組み

冷戦真っ只中の1954年に、武力紛争の際の文化財の保護のための最初の条約が採択され、第一議定書（ハーグ条約）が作成され、同条約は、当時優勢であった国際的二極化を前に、締約国の各々に、文化遺産の保全の責任を割り当てるものであったが、その遂行を監督する何らの国際的権威が備わっていなかったため、極めて脆弱であったことは否めない。

最大限の熱意がこの条約の全文を貫いていた。当時はそれを減じる如何なる注釈を加えることも現実味に欠けていた。このように、同条約の有効性は国内の実施状況次第とされたが、それ自体は、狙いとする普遍的な使命感と矛盾するものである。

別の制限は、考古学、美術または歴史的建造物に限定される宗教的建築物に関っており、かかる条件に見合うとされないモスク、教会及びシナゴーグを完全な無防備に追いやることは、現代では証明されているとおりである。

20世紀末は、ベルリンの壁の崩壊やソ連の崩壊のような事象に特徴付けられた時期であり、バルカン地域での流血の戦いの導火線の主因となった遠心力の激化に見られる政治的再編成が続いた。

この紛争は、ハーグ条約の規範的不備を明確にし、第二議定書の必然的な採択を余儀なくした。同議定書に於いては、特に、軍隊に割り当てた刑事責任、免責事項の一つとしての真にやむを得ない軍事上の必要及び国際性の要素が存在する場合の同条約の限定的適用性等に見られた曖昧な概念の明確化を模索した。

しかしながら、第二議定書の最大の概念的綿密さは批准国の減少をもたらしたが、それは驚くべきことではない。この不利な現実を補うために、専門文献は、この議定書が国際慣習法に含まれるか否かについて熟考した。

2003年10月に、バーミヤンの大仏の忌まわしい完全破壊を前に、UNESCOは、国際的な規範的枠組みを強化し、専門文献が既に国際慣習法の一部と見做している、文化遺産の故意の破壊に関する宣言を発した。

その明確さが故に、この宣言は、国際法の規定の反復として分析する必要がある。尚、その法的な比重は不確かであり、文化遺産の破壊の防止に関する国際社会の無力の寓喩であり続ける。

このテーマに関するあらゆる分析に於いて考慮すべき視点は次の3側面、即ち、文化的予防の手段としての文化遺産の意図的破壊、武力紛争に於ける付随的被害、そして多種多様な被害から派生する影響、である。

論　争

ボスニア・ヘルツェゴビナの事例のようなバルカン地域での残忍な犯罪を裁くために、国連安全保障理事会は、1993年に、旧ユーゴスラビア国際戦犯法廷（ICTY）を設置した。その前身は、第二次世界大戦後にナチス戦犯に判決を言い渡したニュルンベルク国際軍事裁判である。

21世紀の初頭に、残虐行為が繰り返された紛争を巡る責任を解決するための臨時法廷の絶え間ない設置を防止する目的で、国際刑事裁判所（ICC）が設置された。それによって、設置された臨時法廷が時の優勢な政治条件に左右されることを防ぐことができた。

しかしながら、ICCは、人々だけを裁く権限を有しており、諸国家を対象としているのではない。人道に対する犯罪及び戦争犯罪の案件を取り扱うが、同時に、ICCの規定を批准した締約国の内国人のみを裁く権限を有している。

ICTYの判例は、戦時に文化遺産を保護する国際法の分析にとっては極めて重要な意義がある。同法廷は、その規定に従って、宗教、慈善、教育、化学、芸術及び歴史的建造物、美術品、学術的研究に携わる機関に対する故意の徴発、破壊または損害の案件、即ち、戦争の習慣への違反という一般的な概念に含まれる事実を取り扱う権限を有する。

ボスニア・ヘルツェゴビナに於いては、カトリック教徒のクロアチア人、イスラム教徒及びセルビア正教徒という様々な紛争当事者が関与している。カトリック教徒のボスニア人も居住していたが、文化の均質化を目論む独立国のクロアチアによって補助金を供与されていた。このことが、紛争に対して、民族浄化に焦点を置いた攻撃を浴びせるという明らかに国際的な性格を付与し、ハーグ条約の適用を可能にした。とは言え、最大の破壊はボスニア正教徒の手によるものであった。

周知の歴史であるが、カトリック教徒は、イスラム教徒の避難所であった旧市街を包囲した。通過地点は歴史的な橋であった。様々な決議の中で、ICTYは、宗教・文化遺産の破壊はそれ自体が戦争犯罪であったことを明確にしていたため、スタリ・モストの破壊をそのように判断するかについての疑問がすぐに生じた。

クロアチアのカトリック教徒は、口頭弁論に当たり、故意の破壊行為は、歴史的な橋が軍事戦略上の重要地点であったことに起因すると主張した。文化的視点は異なっていた。破壊は集合的記憶を閉塞させて永遠の沈黙へと追いやるための浄化という明確な目的を伴うものであったからである。更に重大なことは、集合的文化遺産の一切の名残を消滅させることは、いかなる平和共存の実現をも不可能とした。

しかしながら、ICTYは、包囲されていたボスニアのイスラム教徒が、スタリ・モストを食料補給のための当然の通過地点として使用していたので、橋は有効な軍事目標となっていると確定した。この議論は、真にやむを得ない軍事上の必要に基づく橋の破壊に関する免責を正当化した。

ここで強調が必要となる。ボスニアのカトリック教徒が最終的に有罪になったのは、文化的考慮に基づくのではなく、真にやむを得ない軍事上の必要によって正当化されない目標である文民の建造物の破壊に関してのみという判断であった。この基準は、文化財に対する犯罪を別の戦争犯罪と区別することが極めて困難であることを裏付ける以外の何物でもない。

文化遺産の破壊行為に対する量刑は徐々に重くなってきている。アル・マフディの事例は、すでにICCの管轄下にある訴訟としては最も象徴的な判例の一つであり、法廷はマリのトンブクトゥのイスラム教の墳墓の冒涜と破壊を処罰に値すると判断した。

アル・マフディは、文化遺産の破壊による有罪判決を言い渡された最初の個人である。ICCは、この種のテロ行為は文民を対象にする場合程の重大さはないとしながらも、当該行為は顕著な重大さを有するとする結論に達した（*The Prosecutor v. Ahmad Al Faqi Al Mahdi ICC-01/12-01/15*）。

もしアル・マフディが所属していたジハード組織の最高幹部の一員でなかったら、裁判に対する正当性は容赦なく減じられていたであろうということが問題にされた。この論拠には議論の余地があるとは言え、当該判例は、主要幹部の有罪判決を可能にしたのである。

エピローグ

様々な評決から、文化・宗教遺産の破壊を戦争犯罪と人道犯罪のいずれと見做すかという視点が発生した。後者の場合では、この種のテロ行為は、それ自体が人道犯罪であることで際立っている。

このような事件の訴追のために困難を乗り越えて進む必要のある道のりは険しい。R2P（保護する責任, *responsability to protect*）の原則は、—2001年に国連の安保理で導入され、2011年のリビア内戦の折に発動された—ある国家が、人道危機、戦争犯罪、ジェノサイドまたは民族・文化の浄化の企てに際して秩序の維持が不可能であるとき、国際社会がその責任を務めることから成るものであるが、進展する様子のかけらもない。

主要な論議の一つは、この規範を国際性の要素という完全なる抽象的な概念を有する文化遺産の破壊への適用に関して、である。バーミアンの大仏のような事件に於いて国際秩序を適用させ得る論拠である。人権の文化化という主張はこの議論の根底を成すものである。

文化に関するこの新たな国際秩序が、極めて異質的であることは疑いがない。分析の二分法は、平時または戦時の規範上の秩序の持つ特殊性によって規定され、完全に人為的と判断され、全体としての詳細に亘る論考を必要とする。
記念建造物の破壊はイデオロギー的確信と深く結び付いており、その目的は明白以上のものである。住民から一時的文化権を剥奪し、文化的なアイデンティティを奪取する……正しく、現代を特徴付けていることである。

植民地主義の悪弊と文化財

1923年12月に、アンドレ・マルロー（1901年～1976年）は、カンボジアのアンコール考古学・宗教遺跡群の中にある、クメール文化の見事な遺跡に数えられるヒンドゥー教のシヴァ神に捧げられたバンテアイ・スレイ寺院の彫像と人物像の数体を盗取した。マルローと手先のルイ・シュヴァッソンは、盗品を商業化する歪んだ目的でこの違法行為を遂行した。
マルローは逮捕され、レリーフ盗取の廉で禁固刑の判決を受けた。1924年9月に、パリの知的エリートは、文学と文化の専門紙 "*Les Nouvelles Littéraires*" に、マルローを支持する嘆願を発表した。署名者の中にはアンドレ・ブルトン（1896年～1966年）、ルイ・アラゴン（1897年～1982年）、アンドレ・ジッド（1869年～1951年）、フランソワ・モーリアック（1885年～1970年）がいた。後にブルトンは、植民地主義の悪弊にどっぷりと浸かった叙述の中で、「そのような美術品の保護など、一体（カンボジアの）誰にとって重要なのか」と表明していた。
マルローは減刑されたが、臆面もなく、略奪品の返還を求めてパリの破毀院へ赴いた（Patrick Howlett-Martin）。
中国での第二次アヘン戦争（アロー戦争：1856年～1860年）の最中に、英仏連合軍が清代に築かれた夏の離宮（円明園の名称で知られる）に侵入し、史上稀に見る文化財の略奪の一つとなった事件を起こした。この侮辱は、中国の集合的記憶に今でも留まる*世間の注目を集める事件*（*cause célèbre*）となった。
その事件は、植民地主義に対する最も厳しい非難を引き起こした。フランス人作家のヴィクトル・ユーゴーは、大胆にもバトラー大尉に宛てた著名な手紙を書いた。「我々ヨーロッパ人は文明人であり、中国人は野蛮人である。この［略奪］は、文明が野蛮を苦しめたことの証である」当該盗品の一部は―後にイヴ・サンローランとピエール・ベルジェのコレクションの中に現れた―2009年にグラン・パレ展覧会場でクリティーズが競売にかけた。

1987年は、ベニン懲罰遠征の中でイギリス軍によって行われた人間と文化に対するジェノサイドと見做される事象へ論及があった年である。

アフリカの西部―現在のナイジェリア領―に位置していた、文化の宝庫であったベニン王国は、イギリス帝国の貪欲を掻き立てていた。

人々の苦しみに加えて、ベニンの宝物、とりわけブロンズ像の略奪の有様は計り知れない程であった。現在、これらの内の327点がオックスフォードのピットリバース博物館、182点はドレスデン民俗学博物館、580点がベルリン民俗学博物館、167点がウイーン民俗学博物館、163点がニューヨークのメトロポリタン美術館に収蔵されている。わずか30点が、大英博物館の所有を経て、ナイジェリア最大の都市ラゴスに所在するという状況である。

ポストコロニアリズムの影響は20世紀になっても続いた。アフリカの文化財を取得するためのダカール―ジブチへのフランスの調査遠征（1931年～1933年）はよく知られている。その状況は、同遠征に参加したミシェル·レリスが著作の『幻のアフリカ』の中で詳述している。また、ベルギーのジョセフ=オーレリアン・コーネット（1919年～2004年）は、王立中央アフリカ博物館などの館長を務め、著書の『アフリカの美術―コンゴからの宝物』の中で、別の歴史的な記述を発表しているが、国王レオポルド2世（1835年～1909年）がコンゴの首都キンシャサを一掃し、廃棄物すら残していかなかったので、現場での（*in situ*）調査は不要であった。

植民地主義の有害な影響の一つは、神々をその聖地から追放して流浪の存在とし、公共の庭園、宮殿や博物館の装飾品としてしまい、美術史上の需要供給の法則に縛りつけたことである。それどころか、その聖像の宗教的部分を奪い取り、消してしまった（Patrick Howlett-Martin）。
イギリスの宣教師は、異教徒の習慣の根絶という錦の御旗の下に、アフリカでの略奪行為に積極的に加担した。アニミズム社会では、神との交流のために根本的な手段と見做される呪物の強奪に没頭した。これらの文化財は、何らの問題もなくロンドンに送付され、同地のロンドン伝道協会博物館で展示されている。

1810年に、イギリスの医師ウイリアム·ダンロップは、南アフリカで、顎髭の長い女性のスタイルでホッテントット・ヴィーナスと言う芸名をつけて、サーカスで見世物にしようとサラ（アフリカーンス語でサーキ）・バートマン（Sarah Baartman）という名前の女奴隷を買った。彼女の性器は特に魅力的に思われ、伸張陰唇（*sinus pudoris*）のために悪意のある凝視の対象になった。その身体的特徴は、アフリカ南部のコイコイ人女性に見られる小陰唇の伸張である。
イギリス国内を散々連れ回された後、その女性はパリの猛獣使いの下に移送され、現地の上流社会の舞踏会で出し物にされることが多々あった。そうした生活のために短命は避けられなかった。
フランス人法医学者のジョルジュ・キュヴィエによって遺体から摘出された骸骨、脳と性器は、光の都（パリ）の伝統的な人類博物館に展示されていた。南アフリカ大統領（当時）ネルソン・マンデラからの明確な要請によって、フランソワ・ミッテラン大統領（当時）は返還に応じ、バートマンは故郷の村に埋葬された。今日では南アフリカの最も重要な象徴となっている。

依頼による盗取

新植民地主義の絶頂時にも文化財の略奪は臆面もなく継続しているが､略奪を取り入れる枠組みも出現し始めている。タイのバンコクのチャオプラヤー川岸に立地するリバーシティショッピングモール内にあるアンコール美術古美術ギャラリーで、クメール文化に属する数限り無い頭部や彫像が一般公開されている。そのギャラリーは、東南アジアと中国由来の文化財の不正取引の主要な流通センターであり、その道楽仲間に、ニューヨークのマディソン街界隈の画廊やパリのヌヴェール通りのギャラリーがある。

不正取引の巨大で複雑な構造は既に解明の途に就いたが、それは文化自体の次元を超えた状況、即ち、国々や様々な国際機関が、テロ集団や組織犯罪が資金洗浄や莫大な利益を上げるための媒介としてこの手段の利用を突き止めたからである。

そのように吟味にかけられ始めたのが、ジュネーブでアブターム兄弟によって創設されたフェニックス古美術ギャラリーと、バーゼルのジャン=ダヴィッド・カーンの画廊である。また、日本人の著名な古美術商で、日本の滋賀県にあるミホミュージアムの代理人であった堀内紀良が、ジュネーブ自由港に所持していた倉庫が強制捜査を受け、保管されていた骨董品が押収された。もう一つの場合は、美術商のジャンフランコ・ベッキーナであり、ギリシャ・ラテンの文化財の不正取引で有罪となった。

その結果、美術商団体は、取引に適した手段としてインターネットを利用し、ロジスティクスを設計し直した。最高級の画廊の一つに、古美術品及び価値の高い美術品を扱う国際的な商人用に作られたファーストディブス（1stdibs）がある。所在地はニューヨークであり、入会には古美術で広範な経験の認定を必要とする。

博物館連合

文化財を略奪された国々の次第に高まる返還請求と外交攻勢を前に、所謂普遍的美術館（ユニバーサル・ミュージアム、即ち、世界全体を俯瞰し探究するミュージアム）の反応は予想できるものであった。フランス国立美術館連合の代表であったイレーヌ・ビゾは、ビゾグループ（Bizot Group : BG）として知られる国際主要見本市・展示会主催者グループの結成を推進した。同組織は、現在、70館の大手美術館を集めており、国際博物館会議（ICOM）に肩を並べる勢いである。両組織の対照は明白である。ICOMには2万人以上の美術館・博物館関係者が加盟しており、自由で民主的な空間として傑出する。他方、BGは、展示物の博物館歴を精緻化することによって他の博物館との特別な差別化を行っている。

2002年に、BGは、宣言（BGDe：BG宣言）を発して、現在の法規とは大きく異なる過去の法規の下でなされた文化財の取得については、配慮と特殊な価値観を通じて認識される必要があるとする論拠に基づき、当該文化財を収蔵する正当性を主張した。

BGの保管下にある物件は、諸国の文化遺産に含まれるものであり、文化財が背負っている背景は根幹であるという了解の下で、普遍的博物館は、原産地との絆から切り離された物件に有効な来歴情報を与える。

BG宣言は、「普遍的博物館は、様々な古代文明の保存と国際社会によるかかる文明への賞賛を確保できた」とし、当該博物館は「文化の発展にとって重要な代理人であり、その一義的な使命は、諸文明への知識の啓発とその解釈という不断のプロセスの推進である」と結論付ける。また、収蔵物件の返還を実施することは、当該博物館のコレクションにとっても来館者にとっても深刻な損害を引き起こす可能性があると考える。

BG宣言が、傘下にある博物館の収蔵品の多くが、不明確であるか明らかに不正な取得に由来するという現実にあって、強まる（*in crescendo*）返還請求を受けている同博物館の正当性を強化しようという意図は明白である。この宣言の中核を成す議論は、文化遺産はどこの国にも属すのではなく、全人類のものであるという主張であり、そこから、この断言に従うと、文化遺産の所在はどこで、所有権者が誰かということは重要事とは言い兼ねるのではないか、となる。

これらの文化財は、内戦または汚職の慣行により、安定が深刻な問題となっている国々での政治的混乱から守られているとBGが断言するとき、この議論は強固なものになる。生憎、イラク、アフガニスタン及びリビアでの数々の破壊行為は、当該文化財の生産国への返還を抑制している状況である。

更に、荒廃は人の想像力が及ぶ以上に進んでいる。アパメア及びドゥラ・エウロポスの考古学遺跡の強奪目的での重機使用、パルミラのフェニキア神のバールシャミンを祀った寺院の破壊、バグダッド国立博物館への略奪、リビアでは、イスラム教の最も卓越した神学者の一人であったイマーム・アズ・ザルク・アッシュ・シャディリ（1442年～1493年）の聖所への冒涜、そしてトリポリのザウィヤ・シャイハ・ラディア・モスクの略奪といった事例がある。

エピローグ

ギリシアの国連大使アナスタシス・ミツィアリスの忌憚ない表現は次のとおりである。「文化は国の魂である。その視点に立脚すれば、文化的建造物の略奪または破壊は、諸国民から歴史と伝統を奪い取ることであり、その意味では、損害を緩和し、尊厳を回復するための唯一の手段は返還である」。

文化財は諸国の歴史と遺産の一部を成すだけではなく、象徴的に変化させる。略奪は疑わしい取得につきものであり、考古学的記念建造物や遺跡の調和、理解及び完全性を歪める。この見方に基づくと、普遍的博物館の正当性を主張するには無理がある。

また、文化財の盗取が起きた時代の法規を持ち出すことは誤った考えである。文化摂取を強制された植民地での先住民の文化的集団・共同体の様々な価値と伝統を無視する法的命令であること、そして、根拠なく結果的に同集団・共同体にとって全く理解不能であった法規が、宗主国からもたらされる制度であったからである。

更に、BG宣言は、明らかに植民地主義者の語調であり、過酷な法制度の正当化と帝国主義者の投機を覆そうとする努力を犠牲者に断念させることを狙うものである。普遍的博物館とは、諸国民の文化財の破壊が予想される中でその保護に当たり、国際社会にとって極めて重要な役割を果たすという前提で、国際社会の代表を名乗る程である。

ここで強調する必要がある。現在の論議は、普遍的博物館の意図ではなく、諸文明の発祥地で文化遺産を展示するための諸国民の能力を主題に展開していることである。

人権の言説が文化化の側面に置く重心は、全ての文化は同様に価値のあるものであるという公理に要約される文明と文化の階層化という概念の廃止である。博物館がこの政策を取り込むときにこそ、本物の普遍性を標榜することができよう。博物館にとって、一つの現実が揺るぎないものになるに違いない。文化財の原産国の返還請求に対しては、これを忌避することや無気力な対応でお茶を濁すことは不可能に近いことを意味する。

戦争を挑発する反文化（I）

ボニゾネ・ディ＝ストリ司教（1045年頃～1090年頃）は、自著『キリスト教徒の生活に関する書物』の中で、キリスト教徒の紳士に於ける倫理規定を敷衍しているが、主要論点として、国家のための戦いと異端者に対する闘いが際立っている。1095年11月に、ピュイ教区会議に続くクレルモン教会会議が開催された際、この書物は、教皇ウルバヌス2世（教皇在位期間：1088年～1099年）がヨーロッパの度重なる戦争を回避し、一族同士の戦いという、ゲルマン法に特有の中世の復讐から成る戦いを終わらせるための論拠として役立った。かかる状況の中で、「神の御心のままに」（Dieu le vault!）という有名な表現を創作し、この説教の下に、好戦的なヨーロッパ人を他の地域へ誘導することによって、平和の侵害者（effractores paci）という烙印を押されていたセルジューク朝に対し、劣勢を強いられていた東ローマ帝国の皇帝アレクシウス1世（1048年～1118年）の援助要請に応えた。

正義の戦争の文化は、ヨーロッパの伝統の中にしっかりと投錨されてきた。既に中世以来、聖アウグスティヌス（354年～430年）は、『神の国』（De civitate Dei）に於ける正義の戦争（bellum justum）の概念を敷衍しており、同著の中で戦争を正義の回復のための極限状態での手段として正当化していた。

第1回十字軍は、聖戦（*bellum sacrum*）の概念を導入したことで、欧州史に於ける重要な転換点となった。正義の戦争は、平和を達成するための有効な手段として戦争を位置付ける熟考の序章として理解されていた。かかる概念の底辺には、軍事的慣行と正義・平和の理想との間の相互関係がある。このようにして戦争の文化が始まるが、それ自体形容矛盾と思しき言表と言えよう。

教義（ドグマ）

哲学は正義の戦争に関する議論に寛容であった。ストリの著作の影響を受けたギベール・ド＝ノジャン（1055年～1124年）は、『フランク人の手による神の行為』（*Dei gesta per Francos*）を記した。歴史の摂理主義的概念を示す作品であるが、今日ではその原理を取り上げたフランスを中心とするヨーロッパの極右は、神意の受託者と自称している。マキャベリ（1469年～1579年）の『君主論』及びユグノー〔訳注：16～18世紀のフランスのカルヴァン派プロテスタント〕のフランソワ・ドラヌー（1531年～1591年）の『政治軍事論』（Discours politiques et militaires）もストリの著作の影響を受けていた。

オランダの哲学者で、17世紀の最も影響力の強い思想家の一人であったバールーフ・デ=スピノザ（1632年～1677年）は、自由の犠牲は偽りの平和を意味すると言えるため、平和の評価は自由を犠牲にして行うのは不可能であると考えた。それどころか、平和は自由の産物であり、それ故、気概と調和の合一から生じる美徳であると論じた。

著書『永遠平和のために－哲学的考察』の中で、イマヌエル・カント（1724年～1804年）は、スピノザの思考を採り上げ、それを敷衍して、自由の達成を伴わないような紛争には、真の平和を期待することは無理であり、かかる状態を「墓場の上にのみ築かれる平和」のようなものであるという有名な表現で示した。カントは、奴隷制を平和の見返りと仮定することは不適切であると断言し、安全保障の要件としての自由の剥奪は容認できないとした。同書は国連憲章の作成に大きな影響を与えた。

正義の戦争の文化

正義の戦争の思想は西欧で残存し、力の行使を独占する国家の誕生によって強化された。かくして正義の戦争の文化は洗練された。マックス・ウエーバー（1864年～1920年）は、国家をいみじくも、特定の領土内での力の物理的行使を独占する組織として定義した。こうした論議に基づき、戦争の文化は新たな視点を与えられたが、その伝統は実質的には損なわれることなく続いた。

正義の戦争の文化は、積極的な行為を生み出す理想的な原理と理解されるが、武器使用に関しては曖昧な価値観に基づいている。実際のところ、西欧の伝統は明白そのものである。歴史に於いて正義に対する違反がなされる都度、この違反を是正するために戦争に訴える。この西欧の両面性に関しては、平和と戦争との矮小化された二分法が正当化されている。

しかしながら、取るべき策は既存の二者択一ではなくて、悲惨なキリスト教的選択、即ち、平和を正義と関係付けることで、偽りの平和の拒絶と正義の戦争の特権を包含するというものである。このようにして、戦争の文化は、物理的力の独占に基づき、今や軍拡の精緻化によって強化されている社会的構造となっている。

正義の戦争の文化は、戦争の文化とは概念的に異なる。後者に固有な側面は、憎悪の深さとその普遍化であり、端的に言えば壊滅への衝動である。暴力の限界の消滅は、最初は交戦勢力間で、その後は市民社会に向けて不可避的に最初の暴力を発生させる。

正義の戦争の文化は、プロパガンダを優先することで、国民のメンタリティ、信条及び行動を戦争の機能に従属させる。この機能の特徴は、征服、防衛及び国内支配の3つの主要側面である。

更に、社会に防衛の感情を吹き込む防衛愛国主義の出現を付け加える必要があろう。武力紛争は、様々な地域で例外なく非常に複雑な形態で展開したが、その表現は変化し、紛争継続中の状況に随時適応する（Stéphane Audoin-Rouzeau, 1955）。

平和への権利

平和への権利は、生活、尊厳そしてその他の人権の行使を可能にする秩序への権利を包含する。その特権は、平和と平和の文化の中で生きる権利という主義に要約される。この権利を獲得する手段は、諸国民及び諸国間で寛容、対話、協力並びに団結を不断に実践することである。

しかしながら、その完全な受容は、正義の戦争への権利の否定に繋りかねない。西欧の伝統では、平和よりも正義と自由を求めるのかもしれない。冷戦の真っ只中に、平和は破壊活動と見做されるようになったのである。

1948年12月の世界人権宣言は、人類の大憲章（Magna Carta）とする意図があったが、平和への権利を含まなかった。その後の度重なる取り組みによって、この権利は、その他の人権の行使のための前提条件と見做されるようになった。

2016年12月に、国連安全保障理事会は、人権理事会の勧告に従い、その適法性を巡る解釈は多数存在しながらも、平和への権利宣言を採択した。初めて、平和への権利は、諸国間の重要事の枠を超えて、戦争と紛争の犠牲者の基本的自由の保護のために向けられることになった。

国際法に於ける基本的な相違の一つは、一方で、武力紛争を惹起する苦難の抑制を試みる国際人権法（*jus in bello*、ユス・イン・ベロ：戦争に於ける法）を区別することである。ユス・イン・ベロは、武力衝突の合法性に関するあらゆる議論とは別に、効力を持つことから、人道的措置は、全ての交戦者に対して平等に与えられるべきである。

他方、戦争のための法（*jus ad bellum*、ユス・アド・ベルム）は、論争解決の仕組みとしての武力行使の回避を意図する。国連憲章はこの意味に於いて議論の余地がない。ある国の領土保全または政治的独立が脅威に晒された時に限って、諸国の武力行使が正当化される。例外は—自衛、国連安全保障理事会の決議など—厳密である。結果は明確である。即ち、ユス・イン・ベロとユス・アド・ベルムは別個の法制度である。

平和への権利には、ユス・イン・ベロが割り当てられたので、ユス・イン・ベロを人権の領域に組み込むことには根拠がない。平和は、総会や安全保障理事会のような国連の機関の権限の下にあり続ける。

国連の3本柱である平和、人権及び開発が弱体化すると、文化的権利の行使は完全に妨害される。平和、安全保障、開発及び人権は国連の扶壁である。

エピローグ

平和が最も大切な価値の一つであるとは言を俟たない。この21世紀にあっても根絶されない武力紛争の残虐行為を前に、平和への権利の訴えは特異な重要性を帯びる。

正義の戦争が普遍的であるように、対立する思想である平和の文化も普遍的である。ノルウエーの社会学者のヨハン・ガルトゥング(1930年～)は、「汝平和を欲さば、戦への備えをせよ」(vic pacem, para bellum) というローマの格言を、「汝平和を欲さば、平和への備えをせよ」(vic pacem, para pacem) に変貌させた。

紛争を正三角形として描くガルトゥングの理論では、辺の一つは文化であり、文化は、宗教であれ、イデオロギーであれ、法律であれ、無限の表現で示される正当性を与えるものである。これらの多様な表現形式は、人間の創造性を表す象徴的な言語を通じて平和の文化を推進する。

しかしながら、積極的平和主義は多次元的である。その思想を構成する側面は、武力紛争が単に存在しないことに留まらず、社会経済的諸側面を重要視するものである。

マーティン=ルーサー・キングJr.(1929年～ 1968年)は、1964年12月のノーベル平和賞受賞時の平和と正義の追求という名高い演説の中で、人間の努力の結集は、戦争の根絶ではなく、平和の積極的肯定に向けるべきであると断言した。メキシコの伝統はこの思想に正当性を見出す。

21世紀の武力紛争は、平和と開発の確保及び人間の安全保障を可能にするための効果的な機関としての国連の能力を判断する試金石となった。

戦争を挑発する反文化 (II)

ロッテルダムのデジデリウス・エラスムス(1467年～ 1536年)は、当時の最も傑出した人文主義思想家の一人であった。人文主義と言えば、その意味は重要な変化を遂げ、16世紀に人文諸学 (*studia humanitatis*) と呼ばれるようになり、古典語の精励、修辞学と文学に主眼を置いていた。

著作の『平和の訴え』(*Querela pacis*) によって、エラスムスは、平和への権利の概念を提起した最初の人文主義者となった。この著作の中でも、戦争を専制政治の手段と見做し、為政者たちに反宗教的行動を断ち、従って、この場合はキリスト教的調和を維持するという義務を警告した。神学者にして哲学者そして文献学者であったエラスムスは、戦争の恥辱と住民の困惑に対して殊更に鋭敏であった。よく知られるようになった卓越した熟考の一つは、教育のない人間は人間性を欠いていると主張するものであり、「人間は生まれながらに人間ではなく、人間になるのである」と宣言した。

エラスムスの見解は群を抜いて広まり、当時の思想家たちに影響を与えた。イタリア人哲学者のジョヴァンニ・ピーコ=デラ=ミランデラ(1463年～1494年) は、有名な著書の『人間の尊厳について』(*Oratio de Hominis Dignitate*) の中でその見解を敷衍した。また、専門書の『戦争法論三巻』(*De Jure Belli Libri Tres*) の中で、イタリア人法学者のアルベリコ・ジェンティイリ (1552年～1608年) は、宗教が戦争のための正当な理由を提供するという考えを拒絶した。また、オランダの法学者のフーゴー・グローティウス (1583年～1645年) は、著書の『戦争と平和の法』(*De jure belli ac pacis*) の中で、正義の戦争に関して熟考を展開した。同様に、スペインの人文主義者のフランシスコ・デ=ビトリア (1483年～1546年) も著書の中で戦争法論 (de iure belli) について敷衍した。デ=ビトリアはアリストテレス-トマス主義思想の信奉者であり、正当理由と正義の戦争の概念的相違を区別した。著書の『インディオスについて』(*De Indis*) は、思想的にはスペインの聖職者のバルトロメ・デ=ラス=カサスに近く、アメリカ大陸の先住民の擁護の第一人者であった。

平和への権利

正義の戦争と平和への権利に関する議論は、ジャン=ジャック・ルソー (1712年～1778年)、フリードリヒ・フォン=シラー (1759年～1805年)、ヴォルテールことフランソワ=マリー・アルエ (1694年～1778年)、そして現代ではホセ・オルテガ=イ=ガセット (1883年～1955年) などの思想の巨人たちに受け継がれた。

1984年頃、諸国民の平和への権利に関する議論が再び盛んになった。そのテーマは、平和共存の考え方に影響を与えたが、平和共存は、理論的には、諸国間の論争解決のための手段として戦争を拒否し、交渉による解決を優先するというものであった。この観点では、国家間の結束は、相互信頼及び文化経済協力の枠組みの中に位置付けられるべきであり、そのためには、主として、利害関係、領土保全及び主権に関する相互尊重が不可欠になっていた。

漸く2016年11月に、国連総会第三委員会は平和への権利宣言（2016年宣言）を発した。これは現千年紀でのこの種の最初の表明である。同宣言の採択に反対する声明は夥しい数であったことから、当初の意図での意見の一致を見ることができなかった。その他の議論としては、この拘束（名義及び義務を有する）の末端での代行者は誰なのかが定義されていないこと、国際法に於ける認知の欠如、そして国連憲章そのものとの矛盾の可能性が俎上に上がった。このような反対意見に、平和の不在だけでは、人権侵害を結論付けることはできないとする見解が加わった。

文化多様性

文化と平和の結束は恣意的と思われるかもしれないが、そうではない。文化の広範な普及並びに正義、自由及び平和の達成のための人間教育は、人々の尊厳にとって不可欠であることが、UNESCO憲章の前文の中で確認される。従って、文化多様性と平和との間の起源という結束は、両者の相互作用と平和の文化を通じて進展することになる。

その時以来、1966年の国際協力に関する宣言のような、この結束を強化する国際的法律文書が増加した。同宣言によれば、友好、国際理解と平和の枠組みの中での文化協力は、若い世代の教育の根幹である。

この根源的な見解には、人権理事会及び文化的権利に関する報告事務所も何度も言及してきたが、同事務所は、経済的、社会的及び文化的権利に関する規約の概説第21項で、人々が平和の環境で文化的生活に参加する無制限な権利を承認した。

平和への権利の中心点の一つは、平和の文化の構成要素として様々な価値、態度、伝統及び生活様式を統合することである。文化多様性に対する尊重は、相互の信頼と理解の中での寛容、対話、協力などと共に、国際平和と安全の保障を実現可能とする。

この考察は、2001年の文化多様性に関するUNESCO世界宣言（以下、「宣言」）と一致しており、また同宣言では、文化多様性の特異性は、様々な集団、共同体及び社会のアインデンティティの持つ多元性に存するという主張がなされている。この原理は、文化的表現の多様性の保護及び促進に関する2005年のUNESCO条約によって踏襲されている。

各人、各集団または各共同体による、自ら選択する言語で表現、創造及び著作物を拡散する、並びに文化生活に参加する権利は、文化的権利への尊重を伴う。この遵守こそが、文化多様性の環境を保障する要素である。それに加えて、文化多様性は財とサービスの自由な移動と不可避的に結び付いており、国境を超える文化的表現の自由の本質である。

人類の文化遺産の特徴は、文化的表現、言語的多様性と思想の自由な流布の間の結束を反映していることが一目瞭然である。

議論の本質は明確である。その多様性に対する寛容と尊重は、人権の推進と保護に資することであり、本質的に補完的でもある。「宣言」は、諸集団・諸共同体を包含し、参加させることで、社会的結合、市民社会の活力及び平和が確保される。即ち、文化多様性こそが、平和の振興、保障及び確立のための根本的な3本柱である人権、社会的結合及び民主的統治を一本化する要素である。

文化的権利は、とりわけ、普遍性、不可分性及び相互依存の点で、人権と同じ性質を有するものであるが、それにより、文化的権利が行使される政治または経済制度を問わず、あらゆる国家に対して同権利を遵守させる。文化多様性は文化的権利を制限しない。それどころか、人権の普遍性を共有し、集団、共同体及び個人に、言語、伝統または所在地の違いを超えた帰属の結束を与えるのである。

国連の人権理事会と協力して、UNESCOは、文化的権利の行使への尊重は、開発、平和及び貧困の根絶のために、並びに社会的結合の構築と、多様な個人、集団及び共同体の間での相互尊重、寛容及び理解の促進にとって本質的である。多様性は、多種多様な文化的表現を通じてのみならず、使用する技術の形態を問わず、芸術的創造、制作、拡散、流通及び再作成の多数の形式に依っても表現される。

武力紛争

2016年の宣言は、国連憲章の原則と人権、この場合は文化的権利の保護との間の比較検討を導入した。そこでは、武力紛争で組織的に人権が侵害されている犠牲者に対して明らかに重点が置かれている。

それに対して、各個人、集団または共同体は、平和、人権及び開発という国連の人間主義の3本柱を、自らの利益に役立てることができると明言する。この了解の下では、従って、平和は諸国家の固有のものではなく、そのアプローチは革新的である。

平和への権利に関する2016年の宣言の価値は、国連のこれら3本柱の強化と人権と平和の結束を補強することにあり、それはその他の人権の行使のための前提条件である。

実際のところ、個人、集団、共同体及び社会全体が、平和、安全保障、開発と人権尊重に対する撹乱の結果としての武力紛争の犠牲者である。

2005年以降、欧州理事会は、文化遺産の機能に関して、平和の構築、持続可能な開発過程及び多様性の促進を主張してきた。

文化多様性及び文化的対話の分野での継続的努力は、開発、平和の構築及び紛争防止から成る3大基本目標の達成に資する公共政策の実施を前提とする。2022年にメキシコで開催された文化政策と持続可能な開発に関するUNESCOの世界会議のMondiacult México 2022に於いて、このテーマが取り上げられるのは当然である〔訳注：取り上げられた〕。

エピローグ

人権としての平和への権利は、社会的機能を満たしてはいるが、理想的概念であることは歴然としている。現時点で不可能であることが将来可能になる。即ち、現在ユートピアと見做されていることが将来現実になるように、現行の状況を変化させる技術である。

古代ローマの元老院は、国家への反逆者とされた人物に対する記録を抹消し（ダムナティオ・メモリアエ、*damnatio memoriae*：記憶または名声の破壊）、彼らの全ての肖像の斬首、呼名禁止、硬貨の図柄からの肖像の除去を命じていた。

この21世紀でも、新たな次元で、人類が今日、呆然自失の中で無力感を覚えながら目の当たりにしている戦争の残虐行為の遂行者たちに対して、ダムナティオ・メモリアエの適用を考えてみる必要があるかもしれない。

II. 未来と過去との邂逅

文化の激変とパンデミック（コロナ禍）

1985年3月、2名のフランス人、哲学者のジャン＝フランソワ・リオタール（1924年～1998年）とデザイナーのティエリ・シャピュ（1949年～1990年）は、パリのポンピドゥー・センターで「非物質的なもの」展を開催した。美術キュレーターの方法論の見地からすると一つの範例ではあったが、後にその先見性が評価されたとは言え、当時は十分に理解されていなかった。

その展覧会での実験的デザイン及び物体（オブジェ）、技術と熟考のハイブリッド表現は、情報伝達媒体として考えられる仮想空間での探索と没頭としての先駆的な試みであった。同展の秀逸さは、仮想現実の出現を示すものであり、物体よりも観念を優先させることにあっただけでなく、博物館の観客をもはや単なる見物人を超えた参加者として位置付けるために、作品と観客の間の伝統的な絆を断ち切ったことである。

当該展の意義が完全に理解されるには更に長い時間を要したことであろう。また、2019年に開催した共同展「間隔の哲学―リオタールと展示論」の中で、2人のスエーデン人、美術キュレーターのダニエル・ビルンバウムと哲学者のスヴェン=オロフ・ヴァレンシュタインは、この催しが立脚する原則を復活させ、デジタル空間内に浸った情報伝達媒体としての物体、技術と思想をハイブリッドの形で発表した点を強調した。

Acute Art（acuteart.com）というプラットフォームを通じて、ビルンバウムはこの新たな概念を推進した。クリエーターに対し、より広範で異質な観客と接するための支援を行うことで、プロジェクトの中で民主的プロセスが認識されるのである。

リオタールとシャピュの展示作品は、その当時には不可解であったが、現在のコロナ禍が触媒となって市民権を得た。博物館という環境の中での影響力は、とりわけ、仮想現実（VR）、拡張現実（AR）及び複合現実（MR）（3組のアルファベットは英語での略称）を生んだ新技術の開発に伴って目覚ましい拡散を遂げてきた。

VRに於いては、スクリーンは全く新しい環境を表現し、観客の眼孔を変化させる役割を担う。その結果は、観察者を物理的環境から引き離す装置を通じて入っていく分離的な現実であり、それによって使用者は三次元の環境の中でやりとりができる。

ARについて言えることは、多機能性携帯電話（スマートフォン）を通じての物体の描写の増大であり、そのことは、端末の画面での画像及び我々が活動する物理的世界に替わるその他の情報の視覚化を前提とする。

MRによって、実際の環境との相互作用を通じて仮想物体を創造し、修正することが可能になる。

上記の言説から、現代のこれらの技術、とりわけ博物館・美術館及び視覚芸術に於ける新たな可能性が明らかになる。

博物館内での情報関係の経験は随所で急増し、それにより、ルーヴル美術館や大英博物館のようなユニバーサル（世界全体を俯瞰・探求する大規模）ミュージアムが、新しい環境に適応し、先端技術に基づきコロナ禍の中での文化の変遷に対する最新の回答を与えることが可能になった。待ち受ける挑戦は、その着手のために解明が必要な方法論の模索と同様に数多である。

しかし、この種の手段の使用で紛れもなく際立っている施設は、ニューヨークのメトロポリタン美術館（Met）である。「Met 360プロジェクト」は、360度の視覚技術を駆使して、観客が美術館の象徴的な空間の中に入るだけでなく、美術館の双方向の参加者に変身することができる。

直接性と利用可能性によって、新技術は、公衆芸術、デジタル芸術及びポピュラー音楽に於いても、完璧に認識できるものである。

しかしながら、現実は過酷である。普遍的美術館と総合博物館との対照を分析すれば、その結果は悲惨である。米国でさえ、全米博物館協会（American Aliance of Museums, 略称AAM）は、2020年7月には国内の博物館・美術館の30%が立ち行かなくなっていたと力説した。全体では、1万2千館以上の施設の閉館を意味した。

それだけではない。国際博物館会議（ICOM）の最初の評価によると、全世界で登録されている9万5千館の中で、2020年には95%が閉館し、その中の13%は完全閉館に追い込まれた。

パンデミックと文化

パンデミックは世界を席巻すると、いつの間にか終息することは歴史が示すとおりである。新型コロナウイルス感染症（Covid-19）の場合も同様であろうが、個人と社会のレベルでの壊滅的な影響は持続するであろう。

この時期には、考察は、社会構造がどのように形成されていたかの明確化を中心に展開されてきた。しかし、既に明白であった亀裂はそれ以上の激しさであった。

歴史は、パンデミック時に発生した予測不可能な場合が多い社会の突然変異を記録上に留めるにしても、それと同時に、真剣な熟考の中から、胎動しつつある共同体の変化を速める予想外の創造物が出現することも示している。

新型コロナウイルス感染症（Covid-19）蔓延中の文化的表現は、現実の問題に直結しており、公共の展示空間を埋め尽くした。現在のような公衆衛生の危機に対する文化の役割は、昔から今日に至るまで、文化が音楽、文学及び口承等によるパンデミックの語りに於いて有用であったという事実に基づくと考えられる。

演劇に関しては、悲劇のジャンルで、最も深淵な解釈や表現を示してきた。ソポクレス（『オイディプス王』、紀元前430年～紀元前420年に書いた戯曲）及びエウリピデス（『ヒッポリュトス』、紀元前428年に書いた悲劇）の戯曲の中では、それぞれ、テーベ（現ルクソール）とアテネで発生したパンデミックについて、作品の本筋の背景として描かれている。この伝統は、歴史を通じて夥しい数の戯曲と共に継続した。

音楽については、イーゴリ・ストラヴィンスキーの組曲『火の鳥』及びセルゲイ・プロコフィエフの『三つのオレンジへの恋』は、20世紀初頭のインフルエンザの流行中に作曲された。

今日のコロナ禍の発生地では、音楽ショーや悲劇の戯曲の世界的な無料流布が顕著となった。

影　響

コロナ禍の中で、文化は、控えめに言っても厳しい制限を受けてきた。社会での外出規制の中で、文化があらゆる表現に於いて癒しになってきたとは言え、文化関係者は生活困窮の憂き目に遭った。

しかしながら、超国家的な文化的規範が現地の該当規範によって取って替わられて、それにより国内諸文化の再評価の過程が始まったことは驚くべきである。つまり、重点が置かれているのは、ルーツへの、そして文化の評価を優先して金銭的価値を排除しようとする、生きているが変化する文化遺産への回帰である。

既存の文化モデルの脆弱性に対し、国内外の組織機関は、時代に固有の疑問点、とりわけ、未来に対処するための最も適切な方法について、回答を与えるための想像力を蓄えておく必要があった。

そのような意味でのプロジェクトは増加した。一例は、UNESCO及び国際復興開発銀行（IBRD）の主導下にある。IBRDは、世界銀行（WB）が国際開発協会（IDA）と共に構成する機関であり、プロジェクト名は、「都市・文化・創意」（Cities, Culture and Creativity：CCC）であり、その目的は、持続可能な都市開発、諸都市の競争力及び社会的包摂のために文化力と創意産業を推進することである。

UNESCOとOECD

UNESCOの『文化創意産業』及び経済協力開発機構（OECD）の『文化的衝撃』というそれぞれの報告書は、コロナ禍によって引き起こされた文化創意産業（CCI）の荒廃について最近言及している。両文書は、同部門の危機は非常に深刻であり、システムの抜本的変革が不可避であるという診断に於いて一致している。強調しておくことが必要である。それは、文化的デジタルエコシステムに於ける大量の接続性は一時的なものではなく、経験とビジネスモデルの新たな形態を作り出しており、そのためには適切な技術インフラが必要とされることである。

2020年の文化部門での粗付加価値（GVA）の全世界的縮小による損失は、7,500億ドルを上回ったと推定される。GVAは、一定期間一定の領域で地元、地域または世界水準で、もしくは企業水準で生産される財とサービスの総体から間接税及び中間消費を控除したマクロ経済指標である。

コロナ禍のそれ以外での影響は、劇場、コンサート、ライブ音楽フェスティバル、映画館や博物館・美術館などの集客に依存する部門で予測可能であった。これらの空間は、「密」による感染リスクが高い状況であったため、公衆衛生上の距離を取る必要があった。実際のところ、最初に閉鎖したのはこれらの施設であり、恐らくは再開するのは最後であろう。同様に、文化活動が社会的相互作用と物理的な存在に依存し続ければ、損害は拡大し、回復の遅れの可能性が高いことは明白となる。

縮小はCCIの労働部門に容赦なく襲いかかり、1千万職以上の雇用が喪失されたと推定される。文化に関わる自営業者、アーティスト、技術者及び専門職は、コロナ禍の影響を最も受けてきた人々である。更に深刻なのは、持続可能な文化・社会プログラムを作成するCCIの能力の低下である。尚、ここで挙げた数値は、CCIに於ける直接的な経済インパクトのみを考慮していて、間接的または誘発された対立（*波及効果*）は含まれていない。

コロナ禍による影響が最も深刻であった地域の一つはラテンアメリカである。メルコスール（南米共同市場）、UNESCO、米州開発銀行（IDB）、イベロアメリカ事務総局（SEGIB）及び教育並びに科学及び文化のためのイベロアメリカ諸国機構による調査によると、CCIは中南米で2020年に所得の80%以上の減少に見舞われた。この大惨事を生き延びたCCI関係者は、その大半が収入減を余儀なくされ、何らの影響も受けないで済んだのは、わずか12%に過ぎなかった。この業界の労働者の減給は実に壮絶であった。2020年の7月から9月にかけての短期間に80%以上もの下落となった。

そうした労働者は他の部門への移動を余儀なくされ、その結果、従前の経験は活かせなくなり、回復への道はより複雑になる。それに加えて、人類の文化遺産として知られる数多くの遺跡の閉鎖があり、想像に難くない結果をもたらしている。

コロナ禍の伝統産業への影響も同様に容赦ないものであった。中南米では同分野の組織の53%が所得の減少に苦しんだ。

上述の数値は、現代で報告が上がっている中で最も高いものである。文化の崩壊は世界中で明白になっており、とりわけ、ラテンアメリカのような地域では極めて深刻である。

コロナ禍のCCIへの悪影響は致死的な水準に達しているため、第74回国連総会は、2021年を「持続可能な開発のための創造的な経済の国際年」との宣言を余儀なくされた。

イノベーション

文化デジタル製品の生産と消費は、コロナ禍での対面集会に対する優位性によって、指数関数的増加を記録してきた。その状況は、CCIにとって挑戦と機会を同時に表わすだけでなく、多種多様で異質なデジタル観客の関心を如何にして掴むかという点で、挑戦であると同時に好機でもある。

新技術の利用に関する努力は多重に展開されてきており、大成功を収めたものもある。若干の成功例を挙げてみると、アルゼンチンのCultura En Casa（家で楽しむ文化）及びブエノスアイレスのコロン劇場#Colondigitalの両プラットフォームを利用して、オペラの上演をオンライン配信し、150万人以上による視聴があった。チリのサンティアゴ市立劇場も同様の成功を収めている。マリア=ビクトリア・アルカラス（2022年3月からはホルヘ・テレルマン）及びカルメン=グロリア・ラレナスが、それぞれ理事長として劇場の管理運営を指揮している。

現在の挑戦に対する革新的な形態としての、文化的価値の伝統的連鎖の外でデジタルの生産、配布及び消費の創造的縦糸で織り成されるデジタル文化への移動があり、UNESCO自体がそれを高く評価している。

このことは、民主的で公正な特徴を確保するようなデジタル文化への移行に投資する多大な必要性を改めて示している。公正なデジタル文化は、諸社会に安定の要素をもたらす可能性があり、それによって、次第に露わになる社会の分断の緩和にも繋がり得る。

より大規模な開発が進んでいる領域の一つは、オーバー・ザ・トップ（Over The Top、英語の略語でOTT）であり、コンテンツのあらゆるコントロールまたは配給とは無関係に、インターネット回線を通じて音声、映像やその他のコンテンツを配信するサービスを指しており、ペイ・パー・ビュー（PPV）のようなサービスがある。ストリーミングと呼ばれるOTTは、新型コロナウイルスの流行以前に既に存在していたが、コロナ禍がOTTの促進に一役買うことになり、かかる状況は、Netflix、AmazonまたはTencentとの競合が極めて厳しくなることを明確にした。

しかしながら、インターネットに於ける文化的優越のように、様々な状況の確実性が認識されるようになっていることから、視聴者との接点を維持する目的での断乎とした努力を重ねることで、インターネットを一つの普遍的な共有財産と見做す主張に頼らざるを得ない状況に陥った。

インターネットに於ける伝統の浅さと、社会に十分に根付いていないために、視聴覚産業を別にすると、中長期的に、CCIがネット空間に留まるかについては、かなり不確実であるという見方が強まっている。

OECDの分析は疑う余地がない。自由なデジタル文化コンテンツは成熟のプロセスを必要としており、イノベーションの可能性が開かれてきたとは言え、その多くは長期的には持続可能ではなくなるであろう。OECDは、対面での文化的な集会が、デジタル技術によって取って替わられることは多分ないだろうとも推定している。

エピローグ

新型コロナウイルス感染症（Covid-19）は、文化的エコシステムの異なる本質への移行のための機会となっている。そして、革新的な発想と、過去の時代への懐古が染み込んだ慣性効果として、コロナ禍の中でも固定化されたままの従来型のモデルの放棄とを要求している。

文化的資源及び経験に対するマスメディアのデジタルアクセスを可能にする技術的な方法論及び解決策は、外出規制が課せられていた間に既に瞭然であった社会不安を悪化させるであろう。多次元の文化危機の発生源でもあるコロナ禍の時代にあっては、我々は将来を予見できないが、食糧とその生産チェーンに於ける明らかな不足という事態に追い込む、異常なまでの不確実性に直面している。

全世界的に高い比率でのインターネットへの接続不足という事態を前に、文化の民主化のプロセスは即座にその限界に達した。こうした傷痕は、社会組織に於いて既に顕在化しているのである。

気候変動と文化遺産（I）

チムー古代王国の首都のチャン・チャンは、ペルーのリマの北部のモチェ渓谷に位置したプレ・インカ文化の一つであり、9世紀から15世紀にかけて繁栄した。その精緻な建築物、計画及び9城の宮殿は、王国が政治的にも文化的にも極めて複雑な社会構造を有していたことを示している。記念建造物の帯状装飾（フリーズ）に見られる擬人化と獣形のモチーフを抽象化した図柄は、国際美術市場で高い評価を得ている織物に絶妙に表現されている。

しかしながら、この先コロンブス期の文化の遺跡は、降水量及び熱帯・亜熱帯地域の気温に影響を与えるエルニーニョとして知られる太平洋南部の変動という気候現象に絶えず晒されており、気候変動による影響は極めて深刻である。昨今の気候変動によって、ペルー北部の沿岸部の住民は、特に異常な豪雨と地下水の増加による被害を受けてきた。考古学遺跡に関しては、湿気が記念建造物の基礎の部分を損傷し、スイレンのような植物の繁茂を加速したことで、UNESCOは危機遺産リストへの登録に踏み切った。

国際的な科学界では、気候変動が21世紀の最大の挑戦の一つとなり、世界的な検討課題の中で最優先項目となるとの予測にコンセンサスが存在する。気候変動には幾つもの原因があり、最も言及されるものは、降水量の変動、水循環での激変及び永久凍土の融解である。

同様に、人口構成や生物学上の原型の変動のような環境変動、並びに世界地理での多文化の集合体の拡散を、自然界及び社会経済的エコシステムに深刻な影響を与える社会的混乱の誘因とする見解が支持されている。

実際のところ、環境の変質及び砂漠化、生存のための資源と水の不足による強制移住が、文化共同体とその環境との相互関係を撹乱することは不可避であろう。

気候変動のペースは多様である。異常気象がある一方で、緩慢だが徐々に深刻化し、通常は環境汚染と相関関係がある気象もある。また、自然環境に対する人為的干渉も付け加える必要があるかもしれない。こうした事象の性質のために、気象現象に直接起因する物理的影響と社会的・文化的構図に、従って、若干の例に留めるが、アイデンティティの形成、伝統的知識、儀式、文化的記憶に今後影響を与える可能性に関しては、科学者は関連性のない考察に走らざるを得なかった。

この状況を目の当たりにして、文化遺産の保護を巡る不安は明らかであった。考古学的遺跡の保護、とりわけ未発掘遺跡の保護に関しては、既に重大な疑問符が付されているからである。その中には、沿岸部に隣接する地区に建造された遺産があり、海面上昇が発生すれば、その実質的な部分は、高いリスクに晒されかねないという事実に関係している。

しかし、この遺産は、洪水、砂漠化及び地下水の増加にだけ脅かされているのではない。塩化ナトリウムとマグネシウムの影響による土壌の層序部分の不安定化は、セラミックの風解に影響―塩類が溶解し、温度と湿度の激変と共に再結晶化する―を与える。結晶化の周期を混乱させ、結果的に有形文化遺産に甚大な被害をもたらす現象である。

歴史的記念建造物や都市に加えて、この種の悪影響は、外面のしみや浸食、ステンドグラスの浸出、金属の腐食などの被害が見られる壁画、洞窟美術、博物館、コレクションそして図書館へと広範囲に及んでいる。

科　学

文化遺産に対する気候変動の影響を測定する目的で、EUが基本調査を推進したことで、この調査は急速に増加した。その一つが、「ノアの方舟プロジェクト（Noah's Ark Project）」であり、今世紀の初頭に創設された。目的は、100年以上気候変動の影響を受けているヨーロッパの文化遺産に於ける最も決定的な変数及び変化を決定することであった。この任務の一環として、歴史的建造物及び史跡に適応させる戦略を形成し、脆弱性マップを作成した。更に、気候変動の脅威を無効にするための運用ガイドを策定した。このイニシアティブは、欧州委員会が授与する最優秀調査計画として、2009年のヨーロッパノストラアワードを受賞した。

2009年から2014年にかけて、EUは文化に対する気候の研究計画（Climate for Culture Project）に融資したが、その意図は、欧州大陸及び地中海地域の歴史的建造物及びその莫大なコレクションに与える影響を予測することであった。リスクのより大きい文化遺産への潜在的な被害を特定し、気候変動による影響の軽減戦略を促進するための学際的プロジェクトであった。

文化に対する気候の研究計画の最大のイノベーションは、2100年までに建物とその周辺の微気候への、気候変動の影響を予測できるモデルの開発である。そのため、文化的重要性のある建造物については、保存状況を調査し、内部の気候に関する解釈を行い、当該建造物及び内部の収蔵品に関する予防措置を練る目的で、詳細な検討が行われている。

上記2件のプロジェクト間の相違点を見ると、「ノアの方舟」が、文化遺産の外観の重要なリスクの特定に専心しているのに対し、文化に対する気候の方は、内部に影響を与える微気候の影響に重点を置いている。

もう一つの重要なプロジェクトは2018年の「ヘラクレス・プロジェクト」であり、生態学的解決策のための刷新的な運用システムの構築を見据えた、学際的・多部門的結論を得る目的の下で推進された。このプロジェクトは、ギリシアのクレタ島にある、銅器・青銅器時代のミノア文明に属するクノッソス宮殿及びクールス要塞で定着した。クールス要塞は海抜ゼロ地点に位置するため、過酷な気候条件の拡大に晒されている。

このプロジェクトの目的は、文化遺産がどのようにして、不安定な気候条件に適応していったか、また脆弱性が高まってきたかについて理解が可能になるようなモデルの開発である。

「ヘラクレス・プロジェクト」は、イタリアのウンブリア州の古都グッビオに1332年から1349年にかけて建造された執政官宮殿（Palazzo dei Consoli）及び城壁に関しても調査を実施した。その結果は驚くべきものであった。分析を行なった遺跡の資材と構造物には腐食と劣化が進んでいた。しかし、より深刻なのは、その構造物の保存には、現代の構造物の保存に使用される技術は適用できないことである。従って、資材と方法論の両方で新たな技術を考案する必要がある。

気候変動のために、単語の創出と既存の単語の意味の変化が顕著になってきた。スペイン語の例を挙げれば、*“termoclastismo”*という単語は、鉱物の表面での膨張と収縮を意味する。*“corrosión”*（腐食）は、金属とガラス状物質での被害に言及する。*“degradación biológica”*（生物学的劣化）とは、湿度の変化が、石や木材の中で微生物の成長を助長する時に起こる現象である。また、*“degradación mecánica”*（機械的劣化）は、凍結/融解プロセスを意味し、氷点からの温度の変動に言及するため、考古学的または歴史的遺跡の多孔質資材への影響を指す。機械的劣化に関係するその他の現象としては、塩の結晶化、永久凍土の融解、砂漠化及び猛暑がある。

しかしながら、気候変動の進展プロセスの規模に看取される不透明感のために、文化財の脆弱性の判断が停滞状態にある。不確実性の軽減には、様々なモデルを総体的に利用することが必要であり、かかるモデルは、劣化因子としての水、風力、気温変化、化学的劣化、腐食、永久凍土の融解及び砂漠化のような様々な変数の分析に基づいている。

気候変動には、予測に依拠するために何らかの不確実性が付随する。そしてその不確実性は、人類の文化遺産に与えうる気候変動の影響及びその不安定さの程度にまで及ぶ。これらの予測は、気温上昇に関しては高い信頼性を有するものの、風と降水量については極めて不充分な状況である。

気候変動に関する法規

気候変動に関する法的枠組みは、1972年にストックホルムで開催された国連人間環境会議で採択された人間環境宣言（ストックホルム宣言）が端緒となっている。同宣言以降、関係分野の国際的法律文書が増加した。国連総会は決議43/53を採択し、その中で、気候変動とその弊害は全人類にとって不安要因であり、生存のために不可欠な環境に対して影響を与えると議決した。

こうした努力は、1992年にリオデジャネイロで署名され、1994年に発効した国連気候変動枠組条約（英語の略語でUNFCCC、以下の略語も同様）と共に最高潮に達した。同条約は、2020年まで延長された1997年の京都議定書及び2016年11月に発効したパリ協定によって補完された。UNFCCCには、締約国会議（CPまたはCOP）及び気候変動に関する政府間パネル（IPCC）の二つの重要な組織がある。

IPCCは、気候変動、その影響及びそれに伴う自然的・政治的・経済的諸リスクに関する客観的且つ科学的な評価を行う目的で設立された国連の政府間組織である。2015年に報告書を出して以来、IPCCは、文化遺産を気候への適応政策の中で考慮すべき対象あると提唱する先駆となった。

UNFCCCは、締約国に対して、共通の責任であるとは言え、明確に異なる内容を持つ諸義務を展開している。そこには原則の相違がある。一方では脆弱性の低減を試みる、気候現象に関連した適応策を義務付けられており、他方、人為的介入と相関関係にある緩和策の義務がある。

これらの法律文書のモットーは明白である。気候変動とその弊害は、全人類にとっての関心事となっており、それは、破滅的な変動のない気候こそが、地球上の生命体の存続を可能ならしめるからである。

京都議定書の本質的な特徴は、二酸化炭素排出量の削減に関する途上国の諸義務を回避する*代償*（*quid pro quo*）であった。また、パリ協定は、排出量取引及びカーボンプライシングに関する市場価格での取引を排除するが、野心的であるとは言え、極めて曖昧な内容となる法律文書である。それ故、約束目標に実効性を持たせる方法が疑問視されている。気候政策は、パリ協定以来、大幅な変化を経て新たな弾みを得てきた。

UNFCCCは、実質的というよりは、単に手続き的で漸進的な性格である。中心的機関を拒絶する主権国家の気質を反映しているので、仮に同機関の設立が不可能でなかったとしても、その活動は多くの困難に見舞われていたであろう。こうして、極めて脆弱にして共通の管理機関を欠く条約としてのUNFCCCの性格が再確認された。

弊害の拡大と文化遺産の気候変動への曝露が深刻化することへの懸念は続いている。ギリシアは、多数の国々と連携して、気候変動からの文化遺産の保護を目指す最新のイニシアティブを推進した。その試みは、2019年11月の国連の報告書の中で事務総長によって発表された。

ギリシアは、UNESCOと同イニシアティブの他の調印国と共に、2022年以来、気候変動の影響を緩和する様々なプログラムを発展・実施している。

相乗効果

気候変動の状況の変化により、気候変動に関する法規と文化遺産保護の法規との間のインターフェース（媒介）の模索が不可避となっている。疑問は尽きない。既存の法規は、文化遺産に対する気候変動の影響に立ち向かうために十分に有効であるか否か、または、様々な領域で補完的となるか否かについて問われている。

有形文化遺産の保護に関するアドホック（特別）法律文書は、世界遺産条約（1972年のUNESCO条約）として知られる世界の文化遺産及び自然遺産の保護に関する条約である。その履行を担当する世界遺産委員会（WHC）の設置を想定していた。

WHCの権限の中には、遺跡または建造物が世界遺産リスト（WHL）への登録という特権に値するか否かを決定すること、文化遺産の置かれている状況を診断し、締約国が然るべき保全のために講じるべき諸策を表明することが含まれている。最も重い制裁は、当該資産の無益性を明らかにすることであり、遺跡または建造物の登録リストからの抹消である。

WHCでは、1992年に設立された世界遺産センターが事務局として機能しており、その任務は、1972年のUNESCO条約の批准を促進し、アドホック機関の設立並びにWHLに登録されている遺跡の保護と修復の専門家の養成に於いて締約国を援助することである。

この条約の運用指針及びWHCの決議は、WHLの中に取り込まれた、世界中の保護主義政策の策定のための規範を与え、同規範は単体で不朽の遺跡及び建造物の公理に基づいている。当該運用指針には修正が施されてきているものの、気候変動に関する予測は乏しい。

1972年のUNESCO条約の未来は明るくない。その理由は、条約が存在を想定している異質な諸社会は、気候変動による変質に晒されているという事実である。そして、変質と共に有形文化遺産は静的性格を容赦無く失うであろう。文化遺産の保護という概念自体は、徐々に異なった様相を帯びていき、それに伴い、この条約の持つ普遍的な使命感は減衰していくであろう。

実際のところ、最近に至るまで、かかる保護の根拠は、当該遺跡が人類の世界遺産として認知されていることの証明に求められていたが、そのことは、比較的安定した諸社会に由来する経験から着想を得ることを前提としていた。

この条約のモデルは、無形文化遺産の保護に関する条約（2003年のUNESCO条約）に於いても採用されたが、無形文化財は多様な性格を有しているから、また有形文化遺産と無形文化遺産の間に存在する共生関係にも関わらず、異なった結果が得られた。とは言え、両条約とも、締約国の義務が少ないほど、批准数が多くなるという外交上の金科玉条を遵守している。

結果は明確となる。気候変動に関する法規と文化遺産の保護関係の法規の間には有意義な相互作用が存在しないことである。

エピローグ

文化遺産保護の調査のための研究プロジェクト策定に関する国際社会の努力は拡大した。

欧州評議会は、2019年～2022年の文化プログラムの中で、文化遺産及び気候変動への適応プロジェクトの推進を最優先にした。非政府組織である国際記念物遺跡会議（ICOMOS）は、「我々の過去を未来へ。文化遺産を気候変動対策の中に取り込む」優先プログラムに参加している。

在イタリア、ラヴェッロの欧州文化遺産大学センター（EUCCHまたはイタリア語の略語でCUEBC）は、文化遺産と気候変動に関する重要な研究を進めてきており、それにより意思決定に於いて、十分な議論と社会的なコンセンサスを得るための時間を設けることが可能になった。

今や、法的機能は、不安的な気候の中での文化遺産の保護を再概念化し、実現可能なものとする新たな枠組みを策定するという挑戦に直面している。

気候変動と文化遺産（II）

2015年、オランダの環境保護団体のウルゲンダ財団が、二酸化炭素（CO_2）排出削減に関する国際的義務の不履行の廉で、オランダ政府を相手取り訴訟を起こした。ハーグ地裁は、政府の排出削減に向けてのこれまでの努力は浅薄であり、気候変動の重大な環境リスクを無視するものでもあったと結論付け、2020年までに1990年比25%削減を国に命じた。

同地裁は裁定の根拠を、ネーデルラント憲法（第21条）、欧州人権条約（CEDH）、国際法の害または反感を及ぼさない原則（*No harm Principle：無危害原則*）、偶然の過失説、公平の原則、気候変動に関する国際連合枠組条約（UNFCCC）及び欧州の関連政策に置いた。

地裁は、オランダ政府による削減の調整方法を明確にしなかったが、CO_2を多く排出する生産活動に由来する取引の奨励及び免税の制限のような京都議定書（2020年までの枠組み）の規定のいくつかの遵守義務を強調した。これは、その分野の対策を講じるよう政府に命じた最初の裁定となった。オランダ政府は控訴し、同訴訟にはCEDHは適用できないと主張した。

2018年10月、控訴裁判所は当該判決を承認した。更に、CEDHは、諸国家に個人と家族の生活を保護する義務を与えると主張し、原裁判所が新たな司法命令を作り出し、それによって憲法に定められた三権分立を侵害していたという権威に訴える論証を棄却した。この判例の豊かさは計り知れない。控訴裁は、ネーデルラントが負う国際的義務の履行の審理に関して破棄自判することを躊躇しなかった。そしてその結果、如何なる国内法も同義務の履行を除外することはできないと主張した。それに留まらず、当該訴訟に関して裁く権限があると主張した。それを受けてオランダ政府は最高裁に上告したが、2019年12月、最高裁は同政府の上告を棄却した（*Urgenda Foundation v. State of Netherlands*）。

環境保護団体のグリーンピース（Greenpeace）と地球の友オランダ支部（Friends of the Earth Netherlands）が、大手石油企業のシェル（RDSa.L）が2030年までに2019年比で45%のCO_2排出削減を図るように、同社を相手取り起こした訴訟に関して、2021年5月、ハーグ地裁のラリス・アルウィン判事は、同社に排出削減を命じる判決を下した。本判決が画期的である理由は、注意義務（*duty of care*）の概念を行使することによって、個人、とりわけ法人により遂行された行為に起因する人権侵害からの人権の保護にまで及ぶ（判例C/09/571932 /HA ZA 19-379英語版）ことである。

裁判所は裁定の根拠を、今やカトヴィツェ気候パッケージにより補完されているパリ協定―拘束力のない説明的規範（*soft law*）の多国籍企業への適用を含む―に置き、国際労働機関（ILO）の提言、ビジネスと人権に関する国連指導原則、及びOECD多国籍企業行動指針を含むものであった。尚、同指針は、諸国家の負う義務とは別に、多国籍企業に義務を課している。従って、気候変動に関する協定の履行は、同企業にとって任意ではないと見做す必要がある。

しかしながら、判例数は増加し始めており、それは気候変動に対処する運動の普遍的な傾向を示している。2015年9月、パキスタンの裁判所は、一人の農民が提起した訴訟の一環として、UNFCCCへの違反のかどで国に有罪判決を下した。根拠としたのは、同国の国際的義務の履行に於ける悠長さと無気力さであり、それがパキスタンの人々の権利を侵害しているという判断であった。極めて斬新な方法で裁判所が行ったことは、パキスタンの国際的義務の履行を監視する目的で、十分な正当性と権限を有する、NGOの代表を中心とする気候変動に関する独立した委員会の創設であった。

文 化

気候変動による文化遺産の被害は、様々な環境の中で急速に拡大している。2011年には、今世紀最大のハリーケーンに数えられるアイリーンは、文化の領域に於いて想像し難い程の壊滅的影響を及ぼした。被害はニューヨークにまで達した。ブルックリンのクリスティーズの保管倉庫（Christie's Fine Art Storage Services）が浸水したことで、200軒以上の画廊があり、国際的美術取引の最も重要な中枢の一つであるマンハッタンのチェルシー地区に計り知れない被害をもたらした。

気候変動のために、専門的研究は同現象の文化的次元に関する議論を開始せざるを得なくなった。その前提は、文化遺産と世界中の気候は、普遍的公共財であることから、諸国家の利益を超越し、国際社会にとって不可欠であるとする公理である。明白なことを述べれば、気候変動に関する法律の第一義的諸目的は、環境保護、持続可能な開発並びに今の世代及び次世代のためのエコシステムの保護である。

他方、文化遺産に関する法律の目的は、芸術的・歴史的または象徴的価値のような多様な価値によって規定される、あらゆる有形・無形の文化的表現の保護であり、それによって将来世代への確実な継承を目指す。結論は明白である。文化遺産は環境とは不可分であり、そのことは、自然遺産と文化遺産の間に全体論的な構成を想定する。

両方の法律が、普遍的公共財としての文化遺産と環境の保護に於いて、同じように寄与しても、多数の疑問が残る。若干の例を挙げると、国際法は、気候変動の脅威のために、文化遺産関連の法規を整備したのか。存在するとしたら、文化遺産保護規則及び気候変動の型に関係する規則の接点はどういうものであるか。文化遺産法と気候変動法は補完的であるか、である。

しかしながら、両国際法は、接点の兆候が少なく、与えられた命令に関して深刻な弱点を示してきており、その独自な独立性を維持しながらも、排他的ではなく、分析に於いては同じ合理性が確認されている。いずれをも貫いているのは、慣習国際法によって承認されている無危害原則（*no harm or prevention principle*）である。同原則の内容は、環境へ害を及ぼしかねない他国由来の活動を自国の管轄区域内で許可または許容しないという全ての国の義務を定めるものである。

しかし、両法律が自然に収束する領域となりうるのは人権に関する主張である。気候変動に関する裁判所の判例の根拠は明らかにこの主張であり、そこには、人権の文化化の概念を考慮すれば、同様の視点と自然な調和が存在する。

とは言え、この仮説は立証が必要である。そのためには、2008年以来国連人権理事会によって作成されている人権及び気候変動に関する報告書の分析の境界を拡大することが不可欠となる。その主題を単に導入するだけでは、他の多数の義務の履行に消極的な多くの締約国による激しい論争を引き起こしかねないことは予測可能であった。従って、国際法への気候変動の影響から、人権に関する強制的履行の要点を推論することが可能であるかについては、当初から疑問視されていた。

権利義務に関する規範の構築が、気候変動を緩和するための国際的努力と関連する可能性は明白であった。従って、疑問の正しい呈し方は、確かに気候変動は人権の使用と行使に悪影響を与えたとは言え、それがどの程度、人権侵害と見做しうるかは判然としなかった。そのため、人権を正当性と諸国家の義務という二つの異なった視点で捉えるという基本的な結論に戻ることが不可欠である。最初の視点は、生命、摂食、健康及び文化的環境等の保護の必要性の言明に対応する。即ち、正当性の視点に於いて、気候変動の軽減に関する対応の遅れのような事実は、文化版人権侵害を構成するという証拠が存在することである。

更に、当該報告書はこの意味に於いて決定的である。なぜなら、気候変動は子供や先住民共同体のような脆弱な集団に対して、より過酷な影響を及ぼすと見られるからである。

二つ目の視点に関しては、人権法の制度に於ける支柱の一つは、諸国家に対し義務を課すことである。意図する命令は明確である。即ち、諸国家は、国際法に基づく人権法に従うものとし、また、全当事者/全当事国（*erga omnes/erga omnes partes*）の義務に従い、国際社会についても同様である。

この視点での根本的疑問点は、諸国家によるCO_2排出及び気候変動への必然的な影響が、人権侵害となるか否かに関する考察となる。

そのためには、ある特定の国のCO_2の排出量と気候変動との間の複雑な因果関係を分解することは不可能であるし、そこから人権侵害が存在すると結論付けることは尚更無理があるという事実の分析が必要である。

同様に、CO_2の排出量は気候変動の多数の原因の一つとなっている。結局の所、人権侵害が被害発生時に評価されるとき、気候変動は様々な調査の合理性に従う。しかしながらこれまでの判例は逆の方向を示している。

エピローグ

激論の一つに数えられるものは、気候変動が、諸国家の安定と人権制度に悪影響を与える一方で、国際平和と安全保障に対する脅威と見做すべきか否かを決定することである。実際のところ、気候変動は、生命、健康そして当然のことながら諸文化に関する人権の場合のように、無数の人権の有効性を破壊する。仮にこの主張が受容されるとなれば、国連安保理に対して、行動し、国連憲章の規定によって国際社会を拘束する決議を採択することを義務付けることになるだろう。

国際的に記録される判例は、ラテンアメリカでは明白な懐古趣味の中に投錨した伝統的な法規範に重大な亀裂が露わになっている。同時に、正統派の法典が気候変動の司法化に於いて僅かな代案しか提示しないとき､気候変動に由来する基本的な社会的ニーズに解答を与えようとする。

気候を悪化させる責任と損害及びその因果関係の証拠に基づく責任制度は、気候変動が多極的で多面的である以上、深刻な不備を露呈していることがより鮮明になる。今や気候変動によって､この責任のモデルは、現代の法律が気候変動に関して時代錯誤になっていることを証明する。損害と責任の間の直接で直近の因果関係は、国際的管轄裁判所によって放棄されたが、同裁判所は、決議の根拠を、人為的活動による気候変動の累積効果の科学的証拠に置いている。

文化的領域については、その特殊性のために、様々な伝統、記憶、神話や歴史のような提案が付け加えられる。これには2005年に、イヌイット周極会議が米州人権委員会に対して、米国による二酸化炭素の排出量削減上の怠慢、人間の権利と義務についての米州宣言への違反及びその結果としてのイヌイット文化の変質の廉で提訴した事例がある。

文化遺産の保護に関する国際法は、1970年代に作られたものであり、気候変動に関する現在の法律との間に時間的なズレが明らかに存在する。とは言え、文化遺産に関する法律の更新では説得力に欠ける。解決策の一つは、運用指針の再設計を目指している。

"Our World Heritage"や"Europa Nostra"のような構想が各地で急速に生じてきており、一層行動的になる市民社会からの圧力を受けて、政府はこの分野での意思決定に反映させることを余儀なくされる。今や、G20文化大臣会合は、イタリアの主導の下で、21世紀の国際的議題の決定的なテーマの一つであるこの問題に対して意識の高さを示してきた。

気候変動を前にした基本的な疑問点は、文化遺産のどれが存続し、それにより将来世代にとって利益をもたらすことが可能になるかについて、また、あらゆる種類の文化共同体がその神話、伝説と伝統を結び付ける新たな環境がどれであるかについて調査することである。

その一方で、気候変動により文化遺産は大きな影響を受けている。そこに埋め込まれている知識を後世に確実に継承するためには、過去の謎の解決のために文化遺産の再解釈が必要になるであろう。

COP26と文化（I）

2021年11月13日、国連気候変動枠組条約第26回締約国会議（COP26）が漸く終了し、最終文書は総会で採択に漕ぎ着けた。明確にしておくべき事実は、同会議は、気候変動に関する国際連合枠組条約（UNFCCC）

の運営機関であり、補佐機関として、執行事務局及び気候変動に関する政府間パネル（IPCC）を擁し、後者については、当該現象に関する科学情報を国際社会に提供する国連の専門機関である。

採択された文書は、グラスゴー気候合意の名称で纏められた意義深いものである。メキシコが加盟しているパリ協定（PA）とは異なり、条約の性質を持たない一連の決定の要約版である。しかしながら、この一連の決議は国際社会に対して拘束力があるため、UNFCCCに従って、署名国による採択を必要とする。

同文書は、綿密な作成作業の所産であることも明白である。とは言え、より多くの良い合意への到達を求める諸国の不満を前に、曖昧な表現や、異なる解釈が発生する可能性のある箇所が散見される。これは国際交渉にはつき物であって、決して違和感を生むような類ではない。

とは言え、グラスゴー気候合意は重要な合意を達成した。その一つは、科学を如何なる政治的決定よりも優先させることである。更に、環境保護に於ける政治的裁量を禁止し、環境保護にイデオロギー的中立性をもたらす合法的命令を確認している。

科　学

科学の近年の進歩は著しいものがあり、その状況はCOP26自体の中に証明されているとおりである。実際のところ、同文書の科学に関する条項の冒頭に、注意深い読み込みで気付く記述がある。即ち、COP26会議の開始時に検討された文書の原案に対して、総会で採択された文書には、*最善の利用可能な科学*に基づいた提言により、明確な緊急性が加えられた。

かかる修正は、重要性が低いと思われるかもしれないが、実際はそうではない。そこに示される公理は採択された文書を貫いており、UNFCCC以来既に合意に達し、パリ協定で再確認された、気候変動に関する戦略に於ける科学の第一義的重要性を承認するものである。

グラスゴー気候合意は、その報告の中で、地球の平均温度が、人為的原因によってセ氏1.1度上昇を記録しており、この慣性が続くと、2020年代までにセ氏1.5度に抑制するというパリ協定の目標達成が不可能になりかねないとの警鐘を鳴らした。気温上昇の結果として地球を襲うと思しき数々の大異変は、想像するに難くない。

適　応

IPCCの2018年次報告書によると、適応は二つの側面で進展する。人間が作り出した制度については、現在の気候学的状況または被害を緩和するか、新たな機会の恩恵に浴するために予測可能な気候学的状況への適応プロセスによって達成する。自然の制度の場合での適応の立て付けは、現状の気候学的条件に従う。

適応という項目を含めることは、適応を先進国による融資と結び付けることで、途上国にとっては成功であった。しかし、切望されるが、ある意味で裏切られたバランスをそれに追加する必要があったため、気候変動の影響の緩和との関係づけの中では、途上国が国内でその任に当たるとされていた。

また、合意した融資が、途上国の期待を大幅に下回る金額であったことは明白である。それでも、先進国は、2025年までに資金拠出を少なくとも倍増する義務を負っている（第18条項）。資金が向けられるのは、貧しい国々と特定のプロジェクト、例えば再生可能エネルギーの推進であり、その中心目的は温室効果ガスの削減である。

適応のテーマであるが、融資と技術移転は、最善の利用可能な科学と調和する限りに於いて、途上国の適応力の向上、国の回復力の活性化及び脆弱さの軽減にとって根幹を成す（第7条項）。

脆弱さは、また、気候の弊害による影響を受けやすい状況とその影響の阻止またはそれへの適応能力の欠如を想定する（IPCC2018）。

緩　和

適応は、途上国にとって重荷になる緩和に関する義務とは対照を成している。目標は、2030年までに二酸化炭素の排出量、CO_2以外の温室効果ガスを、各々45％削減することである。そのためには、国が決定する特定の貢献（英語の略語でNDC）に関する報告書によると、UNFCCCに於ける締約国の義務の履行を評価する上で決定的になると見られる。

COP26に対する主要な影響を及ぼすテーマの一つが、化石燃料の生産と使用の削減のために充当される、実際の価格を歪める補助金及び、クリーンエネルギーの創出を優先する中で、石炭の野放しの生産・使用の廃止促進への言及の際に用いられる表現の抑制に関してであったことは疑いの余地はない。

最終文書には背景として、インドと中国が後押しをした土壇場での交渉があり、*エネルギー源としての石炭の段階的廃止*の表現の導入を阻止した。しかし、石油業界の強い利害関係によって抑制されてはいるが、COPにかかる側面の説明が初めて含まれた事例である。

グラスゴーの声明は決定的である。気温上昇に加えて、社会的・経済的緊張の激化に伴い、気候変動は、地球のエコシステムに取り返しのつかない損失と被害をもたらして来て、今後もその傾向が続くとしている。

俯瞰的に捉えてみると、2018年度版で、本年（2021年）9月に改定された世銀のグラウンドゥスエル調査は、サブサハラ地域アフリカ、南アジア及びラテンアメリカの人口合計の約3%の人々が移住を迫られると試算している。

もう一つの重大な予測は、隣接する沿岸部や小島に居住する7億人が、暴風、洪水や国土の喪失に直面する危険性である。更に、気候変動によって、2030年から2050年にかけてラテンアメリカを含む世界の6つの地域に居住する2億1600万人が移住を余儀なくされる可能性がある（ユルゲン・フォーグレ、世界銀行、2021年11月）。

文　化

グラスゴー気候合意には文化への明白な言及が含まれており、そのことは、如何なる気候政策も成功のためには、社会の基盤由来である必要があることを明示する。国のエリートが強要する、この分野に関する上層部だけによる決定は、その非効率性と無益さを幾度となく露呈した。世代間の連帯と引き受けた国際的約束は、将来世代を保護し、その共同体の疎外を解消する意味での諸国家の義務の構成要素となるであろう。

同合意は、前文から既に、気候変動に関するあらゆる政策の立案に当たり、先住民共同体と現地の文化共同体の諸権利及び諸文化への義務を推進・重視することを強調している。

そこでの現状分析は当を得たものである。海洋、雪氷圏、熱帯雨林及び生物多様性の保護への上述の文化的主体の参加を伴わない適応と緩和のメカニズムの実施は、深刻な困難に見舞われるであろう。グラスゴー気候合意は決定的であった。気候変動は、先住民共同体と文化共同体の疎外及び不公平を拡大し、両集団を無防備の状態に置くことになる。

依って、グラスゴー合意が、南米アンデス地方の伝統などを明らかに想起する「母なる大地」へ言及したことは偶然ではないことがわかる。同地の先住民言語のケチュア語では、パチャは大地を、ママは母を意味する。即ち、先住民共同体と彼らの宇宙進化論は、「パチャママ」(母なる大地) を共同体として保護・保存する義務の下に、様々なエコシステムをもたらしてくれる存在として信奉している。

採択された文書は、気候変動による損失と損害の緩和への先住民共同体と文化的共同体の参加を、不可欠な要素として提起している (第62条項)。締約国に対する命令は議論の余地はない。当該集団を環境保護に関する行動の策定・実施の任務へ取り込む必要がある (第90条項)。

同じ指針が、フランスのストラスブールでの2021年10月21日の欧州議会によるCOP26向けの宣言に盛り込まれた。

エピローグ

気候変動は警告を深刻化させる存在である。しかし文化は、当該現象の緩和と適応のメカニズムを達成するための癒しであり、効果的な手段である。

COP26はパリ協定に技術的な有効性を与える。そのために、同協定の遂行に必要な規則と指針を決定する。この規則は、2018年12月にポーランドのカトヴィツェで採択された規則と共に、パリ協定の切望されていた実施指針を構成する (パリルールブック)。

しかしながら、その道のりは未だ終了していない。気候変動の結果に対して最も脆弱な諸集団の崩壊と抵抗は完全に予測可能である。かかる状況に対して、専門の文献は、気候変動の理由と結果及びその解決方法を考察する*変革的気候正義*（CTJ）という概念を導入した。

CTJは斬新な文化的・法的視点を促す。この概念は、初期段階にあるが次第に遍在するようになり、学術的・社会的議論の中で既に市民権を得ている。これは、環境に関する意思決定について権力構造の起爆剤に変貌する運用概念である。そのために、社会的根源に焦点を置き、土地保有、政治参加、ガバナンスそして当然ながら文化のようなテーマに取り組む。更に、CTJでは文化的要素が最重要の議論の一つである。

しかしながら、この状況では、文化には値するだけの重要性が与えられてこなかった。UNFCCCの枠組みの中で（ワーキンググループII）、文化遺産に関する議論が展開してきたが、文化遺産は非経済的損失及び損害（Non-economic loss and damageまたは略語でNELD）の領域の中で概念化されている。

NELDは、生命体、文化遺産及び生物多様性の損失及び損害を定量化するための方法の構築を企図している。目的は、非経済的な損害を分類し、リスクを最小限にし、状況の可避不可避を区別するためのアプローチを展開することである。そのために、公共文化政策に実現可能性を付与する目的でNELDを分類するための概念的枠組みを構築してきた。

グラスゴー気候合意は文化について明確な考察を行なった。他方、2021年11月24日から26日までのパリのUNESCOの本部では、世界の文化遺産及び自然遺産の保護に関する条約の第23回締約国会議の枠組みの中で、*世界遺産への気候変動対策に関する政策書*の分析に着手する予定である。その結果は広範な検討に値するであろう。

COP26と文化（II）

スコットランドのグラスゴーでの激しい交渉と並行して、またパリのUNESCO本部での世界遺産条約（1972年の条約）の第23回締約国総会の枠組みの中で、気候変動が世界遺産に与える影響について討議が展開中である。

UNESCOの視点は疑うべくもない。気候変動への適応と緩和の過程に於いて、世界遺産に特有な景観、歴史都市、考古学遺跡及び土着の建築物が位置する原位置での（*in situ*）資源の投入と、被害に晒されている共同体の持続的な関与は、気候変動の影響を緩和するためには極めて効果的となる。しかし、気候変動が、動植物相に対する悪影響によって、先住民共同体、景観、伝統的慣行及び考古学遺跡等に致命的な影響を与えることへの言及は不可避である。

国連気候変動枠組条約（UNFCCC）と調和して、UNESCOは、様々な実施機関と努力を連携している。とりわけワルシャワ国際メカニズム（WIM）の執行委員会は、非経済的損失・損害（NELD）の中で概念化される文化遺産の領域内で活動している。NELDとは、市場内を頻繁に移動しないために国民勘定の中で算定されない財を指す概念である。

WIMは、NELDを密接に関連し合う三種類に区別した。それらは、社会的流動性への障害となりうる人的損害に関するもの、領土、文化遺産または伝統的知識の損失のように社会に損害を与えるもの、そして所謂生態系サービス（機能）―人間の利益になる自然のエコシステムのプロセス―と生物多様性へ悪影響を与えることにより環境を撹乱するものである。

こうした財に関して、WIMは、生命、文化遺産及び生物多様性に対する損害・損失を数量化するための方法論の策定を試みている。たとえ理財的価値を欠いていても、文化的共同体、とりわけ先住民共同体にとっては枢要な財であることは歴然としている。NELDは、当該現象の緩和とそこへの適応に向けた努力と結び付いた、気候変動の重要なコストの一つを表す。議論の余地がないことは、多くの社会にとって、NELDは経済的損失よりも社会構造に大きな影響を与えることである。

結論は明白である。NELDの付加価値には、気候変動の一貫性のない進展に左右される不確かさと様々な価値判断が植え付けられている。そのため、この現象の方向性を定めようとする唯一のモデルでは不十分であるという認識が持たれた。そして、気候変動の進路に関してより予測可能な幾つかのシナリオを描くことができ、気候変動が「顕著な普遍的価値」(Outstanding Universal Value：OUV）の遺産に対して与える様々なリスクを正確に把握することへの社会的要求を明確化するようなモデルの総体が代替策となった。その結果、UNESCOは、1972年の条約に新たな解釈を施し、気候変動に関する提言を進め、また同条約は、気候変動の影響に取り組む規制の枠組みに変貌した。かくして、UNESCOは、気候に関する法と文化法との非同時性の克服を試みるに至った。

文化—自然の二項式

執行事務局及び気候変動に関する政府間パネル（IPCC）—当該現象に関する科学情報を国際社会に提供する国連の専門機関—が、生物多様性及び生態系サービスに関する政府間科学政策プラットフォーム（IPBES）と共同して行った調査研究は、当該地固有の状況を踏まえた解決策だけで35%の緩和の確保が可能であり、それによって、気候変動の影響に立ち向かうために、伝統的な慣行・知識を奨励すると結論付けた。これらの調査研究は、生物多様性とOUVに組み込まれている社会・経済システムに特有の諸文化との間の相互依存の公理から出発している。

そうした環境には、人間と環境との間に持続的で相互の適応が存在する。この相互作用は、主要な効果として、文化的共同体のレジリエンス（適応力）の過程を強化する。そしてそのことは、気候変動に対しては、環境及び持続的な開発を保護し、あまつさえ、自然—文化の二項式の保護での同一の基準に於いて持続的なパラダイムの創造を育成するために、当該変化を検討する必要性を示す。

かかる目的のために、OUVの利益になる1972年の条約に定める保護の基準は、生物・文化多様性並びに生態系サービス及び環境持続可能性の向上に貢献する共同体に割り当てられる消費財にまで確実に拡大される必要がある。

気候行動

UNESCOは、UNFCCCが続行する方法論に従って行動計画を策定することを優先した。しかし、この手順は、常に世界遺産条約と関連した作業指針（Operational Guidelines：OG）を履行するという法的伝統とは一線を画す点を指摘する必要がある。この作業指針は、UNESCOにとって、諸条約の改定や新たな解釈を施すための様々な評価に関してとりわけ有益であった。

気候変動に対するUNESCOの選択肢は乏しかった。1972年の条約の再策定や近似の条約の策定は実行可能ではなかったが、時間が切迫していた状況を付け加える必要もあったかもしれない。従って、UNESCOは、UNFCCCの方法論に特有の行動計画をまとめ上げるために、この条約の規定に新たな解釈を施すことを余儀なくされた。

この調和的努力は、2006年7月の第30回世界遺産委員会会議で採択された『世界遺産への気候変動の影響の予測と管理』及び『締約国による管理対応の適用支援のための戦略』の文書に端を発する。

更に、2017年に作成された文書は、『世界遺産という資産への気候変動の影響に関する政策』である。その表題が束の間の存在となったのは、『世界遺産に対する気候行動政策文書』（以下、『気候行動』）というより簡潔な表題が支持されたからであり、本年（2021年）11月に議論が展開され、文字どおりに採択される予定である。実際のところ、このことについては、既に、2021年7月に中国、福州市から企画されたオンラインでの世界委員会会議で合意形成がなされていた。

この文書は、文化についてはインド人のロヒット・ジェジアサが、自然関係に関してはコロンビア人のオスカル・ゲバラが、それぞれ執筆した。両者とも、文化遺産の保存・管理、現地在住の共同体や集団の能力及び気候科学・政策に集中して取り組んだ。UNESCOの規定に従って、『気候行動』の叩き台は完成した時点で、内容の分析のために当該条約の締約国に配布された。そこから形成された同文書の最終版は、近日中に採択される見通しである。

作成開始時より、『気候行動』は、パリ協定（PA）の指令と、そして今はCOP26の文書と調和させる目的で執筆された。COP26は、PAとUNFCCCに実施指針（ルールブック）を提供する。それに伴い、気候変動に関する指令を巡る相乗的な好循環を作り出し、気候変動に対処するための全般的な戦略の枠組みの中で、OUVの保護・保存する行動の分類を目指す。とは言え、複雑で必然的に慎重な扱いが必要なテーマに関して、様々な国際組織がバベルの塔を建てようとしていたら混乱が生じるのは必至であり、有害な結果しかもたらしていなかったであろう。

『気候行動』の文書は、パリ協定の基本的概念と新たに加わったCOP26と、適応、緩和、建設的回復力、刷新と調査研究という特定のプロセスを通じて、調和することになった。それにより、同文書は、OUVに関してUNESCOにより切望され、予測されていた首尾一貫性を獲得した。更に、気候変動の原因と影響の両方に連なる否定的な推移(進展)により発生した社会的ニーズを満たすために、文化遺産の保護に関する政策の変更を推進する上での触媒となっている。

気候ではなくメンタリティーを変える

「気候ではなくメンタリティーを変える」というスローガンの下で、UNESCOは、適応と緩和の戦略を通じて、気候変動の影響からの文化の多様性と遺産の保護を推進するという組織としての公理を策定する。

*最善の利用可能な科学*を主唱するCOP26と同様に、気候行動は、様々な当事者から提供されるあらゆる種類の知識に言及して、利用可能な最善の知識を優先する。こうした知識だけが、気候変動に内在する不確実性及び複雑性に対処するのに必要な視点を提供する。従って、UNESCOによって、先住民共同体の伝統的知識及び当該知識が様々な社会システムへと関連付けられた科学の優位性が確認される。

気候行動は、UNFCCC、パリ協定そして今やCOP26の基本的概念を独自のものとするが、同時に、適応と緩和に関して、知識の共有と一大変革を導入する。適応の分野では、自然—文化の二項式への基盤となり、文化と環境の面で重要な社会経済的な行動と政策の中への同二項式の取り込みを可能にするOUVの諸価値の教育的・伝達的機能をこの文書は標榜する。世界遺産とそれが具現する諸価値は、社会的回復力に計り知れない程の貢献をし、また気候変動による損害と緩和策を適時に特定することに役立つ。

こうした価値は集団的参加に関する社会的一体性を促進し、その参加は気候変動に起因する新たな環境への適応能力を強化する上で基本的である。

OUVは気候行動の礎になるものであり、気候変動の影響の緩和に最も貢献する価値である。実際のところ、OUVは、風景画的な言説を通じて自然の生態系を保全する。OUVの保全の規範は、文化遺産の諸価値の気候変動との対立を回避または最小化する。

知識の共有に関する条項は、UNESCOの画期的な発案であり、OUVは気候変動をモニタリングし、気候行動の社会的緊急性を浮き彫りにするために、社会・自然・人文科学の知識と研究のための実験室であり基盤でもある。

最終的に、一大変革は、様々な技術の推進とメンタリティーの変化を中心として、適応緩和政策を有する移行のシステムの作成を指す。

エピローグ

自然─文化の二項式の重要性は、包摂的な社会開発に重点を置く、共同体の生活の中でのその機能である。現地、共同体及び先住民共同体の当事者の尊重と公平を包摂することは、持続的社会開発のための前提である。文化的多様性と包摂が十分に承認される時に、世界遺産の保全は意味を持つことになる。

調査研究の分野では、診断は極めて残念な状況を呈している。ラテンアメリカにある世界遺産への気候変動の影響と派生する問題に関しては、同地での研究はほとんどなされていない現状である。当該遺産の保全を目指す最善の慣行を統合するための信頼に足る基礎情報が欠如しているのである。

メキシコの場合、この分野での法的枠組みは堅固である。国際約束（UNFCCC、パリ協定及びCOP26）と地域約束（エスカス合意）に、倫理的義務を追加した。実際、2017年11月の第39回UNESCO総会で、メキシコは気候変動に関する倫理原則の宣言に署名した。

こうした約束は、科学の優位性、独立性及びその原則の普及に基づくものである。メキシコが気候リスク対策でのあらゆる種類の決定の基準にすべきものは自然・社会科学及び利用可能な最善の知識である。そのために、IPCCのガイドラインは根本的である。

誤った政策のために気候変動の犠牲者となった人々の手を正義に届くようにすることで、適正な修復を行うために、今やエスカス合意で裏付けられた変革的気候正義の概念が導入されている。この変革的正義は連帯、持続性及び公平の指導原理に基づいている。

この法的・倫理的枠組みによってこそ、メキシコの切迫する社会的・文化的緊張が解決されるであろう。

III. 文化の流浪

ウクライナに於ける武力紛争と「パクス・クルトゥラ」(I)

11世紀の初頭に、キエフ大公国のヤロスラフ賢公は聖ソフィア大聖堂の建立を命じた。当時のキエフ（ウクライナ語ではキーウ）大公国の首都で最も重要な聖地となり、イスタンブールにあるアヤソフィア（聖なる叡智）大聖堂とその重要性を競っている施設である。キエフの聖堂参事会教会によって、ビザンツ様式の壮大なモザイク画と壁画が保存されており、北側をラヴラの巨大な鐘楼と長老修道士館の建物で囲まれている。表門には府主教邸宅と教会食堂がある。3箇所あるこの建物群への入り口の中で、サボロフスキー門が傑出している。

これらの建物に加わるのが、ベレストヴォの救世主教会—ベレストヴォとして知られる地域にある、キエフの北の修道院の外壁の外側に建造された—及びキエフまたはペチェールシクの修道士聖アンソニー（983年～1073年）とキエフまたは洞窟の聖テオドシウス（1029年～1074年）によって1069年に創建された壮大なキエフ・ペチェールシク（洞窟）大修道院である。これらの宗教施設は極めて重要なものとなり、1630年から1640年にかけて、Petro Symeonovich Mohylaというラテン文字化した名前で知られる、モルダヴィア公国出身の神学者ペトロ・モヒーラ（1596年～1647年）によって修復された。

正教会

12世紀の原初年代記（『ネストル年代記』）によると、聖アンソニーがロシア人共同体に、ギリシア北部のアトス山に位置するエスフィグメヌ修道院の神学的慣行を導入した。聖アンソニーは隠修士として有名であり、展開していた運動への信奉者が徐々に増えていったことで、洞窟の修道院の建立が可能になった。キエフの聖テオドシオと共に策定した宗教的規範はロシア全土に広まり、ビザンツ洋式に則るロシア修道院の神秘主義の原点となった。

この神学全集は、古代エジプト人及びパレスチナの修道士の文書をはじめ、アトス山での隠者の習慣やかつてのコンスタンチノープルのストゥディオス修道院の共同体的精神性に基づくものである。1250年頃には、この修道院の運動には主教を務める修道士50人以上が関わっていた。

このように、洞窟の修道院という名称でも知られるキエフ・ペチェールシク大修道院は、ロシア人修道士の形成と育成に貢献し、最盛期には、教育、芸術及び医学の発展を促進した。第二次世界大戦中はドイツ軍による執拗な攻撃を受けたが、現在では、保存する聖遺物と迷路のような地下墓所の教会によって、世界中で最も多くのキリスト教巡礼者が訪れる聖地の一つとなっている。

1990年には、顕著な普遍的価値（Outstanding Universal Value, またはその略語でOUV）として人類の世界遺産リストに登録され、キエフ大公国の文化とビザンチン帝国の相互作用がもたらす傑出した主要な遺産の一つに数えられている。

しかしながら、時の経過と共に、普段の地政学的変化は、モスクワとキエフの間の親戚関係を、複雑にして相入れなく困惑の絶えない関係へと変容させた。

ヨーロッパの状況

文化遺産の破壊は、人類の歴史に於いて絶え間なく行われてきたことであった。略奪は、*戦時国際法*（*jus belli*）の本来の特権で、ローマ時代から勝者側にあった。ローマは、規律の乱れた部隊のために戦利品として、制圧した諸国民の美術品の略奪システムを打ち出した。このようにして、ブロンズ像や大理石の彫像などの美術品は、ローマの将軍たちによる栄光の獲得物を完成させた。戦時での略奪を正当化していたこの武力紛争中の規則は、何世紀の間も続いた。

第一次世界大戦の荒廃は、文化遺産にとってはとりわけ深刻な結果をもたらし、ベルギーでの1914年8月のカトリック大学図書館をはじめ、同年9月のフランスのランス・ノートルダム大聖堂、並びに1914年10月及び1915年6月の同国アラスの鐘楼と大聖堂などがその例である。第二次世界大戦は更に衝撃的となった。文化財の剥奪・略奪は、とりわけドイツの軍事占領中のヨーロッパでは際立っていた。

文化遺産の破壊は、あらゆる人の想像を絶するものであったが、その一方で、政府、特に治安維持当局の脆弱さ、劣勢及び弱体化と相関関係があった。

合法性

然るに、国際法の領域では、文化遺産の保護のための重要な努力が今日まで続けられてきている。オスナブリュック・ミュンスター講和条約（ウエストファリア条約）などがその経緯をよく示している。

19世紀になるとこの種のイニシアティブがより鮮明な輪郭を取り始めた。アメリカ大陸では、ドイツ系米国人の哲学者で、コロンビア・カレッジ―現在のニューヨークのコロンビア大学（Columbia University）の前身―の教授でもあったフランツ・リーバーは、米国軍を対象としたかかる意味合いを帯びた行動規範を作成した。文化遺産の意図的破壊の廃止を謳った一般命令100号を通じて、アブラハム・リンカーン大統領は、1863年４月にこの規範を公布した。そして、1899年及び1907年のハーグ条約に至って、陸海での行動について戦争の法規と習慣並びに戦闘当事者に対する遵守のための特定の規範が定められた。

これらの条約は、ニュルンベルグ及び東京での国際軍事裁判（極東国際軍事裁判：IMTFE）での規範的枠組みとなり、第二次世界大戦中の文化財の略奪者及び文化遺産に対する組織的破壊の責任者を裁く上でも十分な有効性を付与された。同条約の条項では、相互戦闘及び軍事的占領の前提に関する二つの側面が区別される。

二つの世界大戦の空白期の1935年4月に、芸術上及び科学上の施設並びに歴史上の記念工作物の保護に関する条約（レーリッヒ条約）が作成されたが、当初は、ロシア人の画家で哲学者のニコライ・リョーリヒ（1874年～1947年）によって考案され、国際平和と安全保障の礎としての文化財の保護という概念を導入したものである。同条約によると、当該施設及び記念工作物は中立と看做され、紛争当事者による保護を受けるものである。その良い点は、武力紛争時及び平和時の両方に及ぶことである。

同条約を後援したのはニューヨーク市のニコライ・リョーリヒ美術館であり、作成に当たったのは、パリ大学国際高等研究所のジョルジュ・シクリャーフであった。条約は、1933年12月にウルグアイのモンテビデオで開催された第7回汎アメリカ会議及び汎米連合によって採択された。メキシコは本条約の当事国である（1937年8月18日付*連邦官報*）。

レーリッヒ条約は、1885年のベルリン通則法及び1919年9月のサン=ジェルマン=アン=レー条約の要約版であり、こうした分析の領域に文化記念物の概念を初めて導入したものである。米国のフランクリン=D・ルーズベルトは、この条約は本文を超える精神的な意義を有すると主張するに至った。

1935年から1945年にかけての国際的にも二国間関係に於いても最高潮の時期に駐米メキシコ大使を務めていたフランシスコ・カスティージョ=ナヘラ（1896年～1954年）は、レーリッヒ条約の採択の推進者の一人であった。名家の出で、メキシコ外交の卓越した伝統の遂行者であったカスティージョ=ナヘラは、1945年10月から1946年11月まで外務大臣を務めた。

第二次世界大戦の残虐行為は、国連憲章及び世界人権宣言、並びにジェノサイドに関する条約及び1949年8月の諸条約の作成を促した。

更に、こうした武力紛争によって引き起こされた社会的・文化的大変動の後に、国際社会は、文化遺産の保護に向けた努力の結集に再び向かい始め、1954年4月の武力紛争の際の文化財の保護に関する条約並びに第一議定書（1956年8月3日付*連邦官報*）及び3本の決議の採択で頂点に達した。この追加第一議定書の意義は、1949年のジュネーブ諸条約の中で明白であり、同条約への補完性を支えるための分析を推進するものである。

当時UNESCOの事務局長を務めていたメキシコ人のハイメ・トーレス=ボデットはこの条約について言及し、文化財にとっての「赤十字」

の基礎を築いたものであったと示した。それは、ハーグでの業務を通じて夥しいほど反復された絶妙な表現であった。この法律文書が文化財に関する真の法規集であり、前提事項は慣習国際法を構成することには疑う余地がない。

ソビエト社会主義共和国連邦は1957年1月4日に、ウクライナはその翌日に、それぞれ同条約を批准した。レーリッヒ条約は、この条約のための最初のモデルになり、その条項の大半には起源が認められる。

エピローグ

国際人道法のあらゆる法典化として、当該条約においては、人道的な要求と軍事的な要求の間に均衡を図るように努めた。その均衡に於いて軍事的な要求に対して譲歩し過ぎたことを指摘するのは過剰ではなく、思慮ある節度に対する違反があったという非難は当然であった。条約は、通常兵器の使用の状況に限定されており、人道法の立法と調和するもので、その中では核兵器など大量破壊兵器の使用のような極めて重要な論題は回避されている。

「汝平和を欲さば、戦への備えをせよ」というラテン語の格言（*"Si vis pacem, para bellum"*）は、ローマ帝国の軍事学者フラウィウス・ウェゲティウス=レナトゥスの作とされているが（Epitoma rei militaris, ca.s.IV）、今や人類に迫る重大なマキャベリスト的な内容を帯びている。

ウクライナに於ける武力紛争と「パクス・クルトゥラ」(II)

紀元前5世紀、古代ギリシアのドーリア人は、クリミア半島の南西部にある現在のヘラクレス半島に、ケルソネソス・タウリケ（または急斜面という意味のトラケオ）と呼ばれる植民市を築いた。ドーリア人にとって、ケルソネソスは、大陸島即ち半島を意味していた。東側には、アゾフ海と黒海を繋ぐケルチ海峡を控えており、古代にはクリミアのボスフォラス海峡として知られていた。

この植民市は、紀元前438年に建設されたボスポロス王国に属していた。イオニア系のギリシア諸都市から構成されていたが、その中では黒海の北という立地による経済的な重要性の点で、ケルソネソス・タウリケが際立っていた。

この植民市の遺跡で実施された一連の考古学的発掘によって、6箇所の、都市の痕跡を有する集合体と農耕地が発見された。農耕地については、農村と都市を補完する農村集落を暗示する数百に及ぶ地区（*chora*）に分かれていた。生産単位としてのその地区では、ブドウ栽培とワイン製造によって、15世紀に至るまで経済的存立が可能となった。

事実、そのギリシアの植民市はブドウ栽培の原型を成していた。既に紀元前3年には、黒海沿岸のワイン生産地として名声を博しており、その評判はギリシア人、ローマ人やビザンチン人にも伝わる勢いであった。植民市には、石器時代や青銅時代の定住地を想起させる建造物とキリスト教の記念碑が共存している。それに加えて、中世ローマの要塞や水道橋が残されており、そこの戦略的重要性を裏付けている。

考古学的調査は、ケルソネソス・タウリケの植民市が、古代ギリシアの都市国家とその社会構造に固有な、地球の民主的組織の縮図であると結論付けている。現在の位置情報としては近くにセヴァストポリ港があり、そこはロシア海軍の駐留地となっている。40ヘクタールに及ぶ旧植民市の遺跡の中で、わずか10ヘクタールが発掘されているに過ぎない。同所は、2013年6月に人類の文化遺産リストに登録された。

クリミアは、2023年現在、ロシア軍によって占拠されており、UNESCOは、このかけがえのない考古学遺跡が占領される中で行われた略奪に対して警鐘を鳴らした。

「条約」

専門家による世界的な議論の場では、実定国際法の全ての規範は、厳格な精査を必要とする二つの根本的な側面を有するという一つの不文律が存在する。一つ目は、この規範の内容が、社会的なニーズにどの程度対応しているかについて決定することであり、もう一つは、諸国の慣行と関連するその正式な表現の正確さに関するものである。

従って、武力紛争の際の文化財の保護のための条約（以下、「条約」）

及び議定書の分析に際しては、これらの法律文書が社会的なニーズに対応しているか、そして諸国の慣行の中で遵守されてきているかについて検討する必要がある。そのためには、有効性を持つ物理的な環境が国際・国内紛争に拡大されることへの考慮が肝要である。

1949年のジュネーブ諸条約及び第一・第二追加議定書（1977年）、1980年の過度に傷害を与える又は無差別に被害を及ぼす可能性があると認められる特定通常兵器使用禁止制限条約（1982年5月4日付*連邦官報に掲載*）及びその3本の議定書が、武力紛争時の文化財保護のための枠組みを完成させることになった。

これらの法律文書の性質が異なることから、極めて重要な主題の扱いに関する相違が存在する。軍事的必要性に基づく責任の除外がその一例である。

「条約」によると、文化遺産の保全は、普遍的且つ基本的な価値を表すことから、所在する国家だけでなく国際社会全体にとっての関心事であるという公理に基づく。従って、文化遺産の保護は、一国家の国境を超えて国際的な公共財となる。この公理は、紛争時及び平時の両方で文化遺産の普遍的な保護の展開に根拠を与えた。

この国際的な法律文書を余すことなく理解するためには、別の1972年の世界の文化遺産及び自然遺産の保護に関するUNESCO条約との相互関係の中で分析する必要がある。

根　拠

この条約は、全ての動産・不動産文化財をはじめとし、そうした文化財を収容する建物及び、諸国民にとって多大な重要性を持つような考古学的集合体、集落及び歴史地区などの記念碑的複合施設にまで拡大適用される、法的分類としての*文化財*の概念を初めて導入したものである。

「条約」が課す義務は多岐に及ぶとは言え、あらゆる武力紛争の開始前に引き受ける義務と敵対中に発生するその他の義務とは、その分類上の明確な区別が可能である。

主要な責任の中では情報提供の要素としての予防が際立っているが、

そのためには平時から諸国は、武力紛争の予見可能な影響から自国内の文化遺産の保護を確保するために適切であると判断する対策の執行が必要である。

「条約」は、締約国に対して、自国の全国民とりわけ文化遺産の防護を委託した人員に対して、これらの規定をしっかりと普及させることを厳命する。更に、軍部に諸国民の文化と文化遺産に対する尊重の精神を注入するために、国の方針を国内の軍法に導入することも要求する。

「条約」の規定では、占領国は、文化遺産の保護という一義的な義務を等閑視することはできない。この義務というのはいくつかの側面を有しており、非占領国が予防措置の実施を履行しなかった場合でも、文化遺産保護の責任を占領国から免除しない。

「条約」の最も注目に値する規定は、国際紛争中、占領国に行動を自制させるという極めて明白な目的を有する諸責任を割り当てていることである。

占領国の義務は増大する。占領国は、文化財を破壊や劣化に晒すこと並びに文化遺産に対するいかなる敵対的行為に加担することも禁止される。

「条約」は、様々な側面で、尊重の概念を発展させる。占領国は、略奪及び破壊の全ての行為を阻止し、文化財の徴発を控えるとし、また自国への持ち帰りなどは論外とする。文化財に悪影響を与える全ての復仇手段は禁止する。これらの義務は、ブルーヘルメットを着用する国連の平和維持軍に対しても及ぶ。

しかしながら、この義務の善意は、「条約」自体によって深刻な制限を与えられているのである。即ち、占領国の出す報告書は、考古学遺跡での違法発掘の阻止及び文化財を安全な場所で防護するなどの多くの具体的な措置の採択に関して非常に限定的であることが挙げられる。

かくして、「条約」の最大の弱点は、効果的な制裁措置の欠如及びやむをえない軍事上の必要が想定する場合のこうした当該義務の免責という軽減余地にある。この注釈の盛り込みは、「条約」を採択した政府間会議で表明された軍部による強硬な要求に起因した。免責事項に関する明確な定義の欠如の中、1999年の第二議定書の採択に踏み切った。

上記の記述に従うと、かかる意味での免責は、文化遺産が軍事目標にされた場合、または軍事的優位を得るに他の実効的な選択肢がないときにこれを発動できるとされる。更に、軍事的勝利を得るための唯一の手段として文化財が破壊に晒される場合も、免責が許容される。

かかる性質の決断は、武力紛争時には決定的となるものであるが、最高司令部の手によるものとする。やむをえない軍事的必要性の想定は、軍部が戦争行為に対して免責が与えられている場合を指しているが、占領国に広義の解釈の幅を与える点で、1999年の第二議定書の批准国は、批准していない諸国より不利な地位に置かれていることになり、「条約」の締約国が同議定書の批准に二の足を踏む状況を作り出している。

特別な保障

記念工作物のある地区・集中地区または文化財を収容している極めて重要な建物を対象にする特定の保護は存在する。とはいえ、その保護は、重要な軍事目標から妥当な距離に所在し、軍事上の目的に使用されていない文化財である限りに於いて発動される。特別な保護は、UNESCOの管理する「特別保護文化財国際登録簿」に登録されているものについて付与される。この枠組みの運用性は完全な失敗に終わった。

当該保障は、その場での可視化された特別表象による識別に基づくものであり、そしてそれだけが、やむをえない軍事的必要性を除外できる方法である。上述の施設または不動産に確実に近接する文化財は、「条約」が、対象の施設または不動産を一般保護と特別保護に分けて適用する点に鑑みて重要である。

かかる表象の使用は、しかしながら、拘束力のあるものではなく、ペルーのように使用しない国もある一方で、オランダやポーランドなどは正確に適用する例や、日本のように変則的な適用を行う諸国もある。

この「条約」の最も革新的な側面の一つとして、締約国は、「条約」の実施に関して適当と判断する重要な詳細及び措置に関する報告書を、

4年に1回提出しなければならないことが挙げられる。

エピローグ

1992年以降、UNESCOの事務局長から加盟諸国に向けて送付された報告書では、「条約」は新たな挑戦に立ち向かうには効率的ではないという認識を共有していた。しかしながら、軍備拡張主義者的詭弁の前に、文化遺産への被害を抑制する目的で、この法的枠組みを国際的に推進させることを余儀なくされた。シリア、イラク及びバルカン諸国でのかかる惨状並びに2011年のリビア内戦、そして現在のウクライナの状況は、自称イスラム国の手による文化的破壊行為を忘れることなく、この確信を強めることになった。

「条約」の歴史の中では二つの立場が浮かび上がってきた。「条約」は、新たな挑戦を解決するには不十分であるとする主張と、「条約」は、旧ユーゴスラビア国際戦犯法廷（ICTY）や国際刑事裁判所（ICC）のような機関によってその意義を評価されたという主張である。

このように、ICCは、2002年7月に発効した規程の中で、不動産に限定する文化遺産の破壊を戦争犯罪と見做している（第8条 [2][b][ix]）。この規定に従って、マリのトンブクトゥの古代イスラム式墳墓の破壊を行なったイスラム過激派メンバのアフマド・ファキ=マフディに有罪宣告が下された（*The Prosecutor v. Ahmad Al Faqi Al Mahdi/ICC.01/12-01/15*）。

ウクライナ戦争の勃発により、UNESCOの中で、「条約」を巡る議論を人間的次元の方向へ向けようという動きがあったが、極論に達してしまった結果として、人間中心主義の視点からの文書の分析になるだろうが、それは、「条約」の有効性という物理的側面を深刻に限定することにもなりかねない。

人類の文化遺産として登録されている記念工作物・所在地の破壊が、国際社会に損害を与える対世的（*erga omnes*）義務違反と見做されるかについて解明するという別の論争もある。その結果は重要性を極める。この場合にあっては、いかなる国家もこの責任を要求することが可能となりうるからである。

文化遺産を国際的公共財と看做す視点が再び台頭してきている今日、敬意の念は今後の世代に植え付けるに値する。文化の破壊に対する非難は、武力紛争時のみならず―それは、今、茫然自失状態の人間が按ずる状況であるが―平時に於いても行わなければならない。

訓戒として肝に銘じるべきことは、文化的な象徴を破壊する野蛮な行為の断固たる拒絶に他ならない。

文化財に対する戦争のジレンマ

1907年11月、アドルフ・ヒトラーは、名門のウイーン美術アカデミーを受験したが、芸術的能力が所定の基準に達していなかったために不合格となった。翌年２度目の受験に挑むが同じ結果に終わる。その時から1913年まで、ウイーンで生活を立てるために、水彩画を描いたり、絵葉書を作ったりしていた。権力の絶頂にあったときでも、ヒトラーの野心の一つは、フューラー美術館を創設する事であった。そのために、ヘルマン・ゲーリングと共に、基本的には、ロスチャイルド、ローゼンベルク、ハウトスティッケル等のユダヤ人社会の美術館及び秀逸なコレクションの犠牲の下での、20世紀の最も忌まわしい文化財の強奪の一つを組織した。ナチ党の党員であり、第二次世界大戦中にまさしく文化財の窃盗に当たっていた全国指導者アルフレート・ローゼンベルク率いる特捜隊が略奪を行なった。

対照的な事例がウインストン・チャーチルであり、雀の涙ほどの国防予算の増加のために英国の芸術予算の削減の可能性について尋ねられたときの反応が、例の如く簡潔な表現で「それなら我々は何のために戦っているのかね。」というものであった。

チャーチルの同盟者であったフランクリン=D・ルーズベルト大統領は、1935年に始まり1943年に終了した連邦美術計画（FAP）を打ち出していた。目的は、ニューディール政策の一環として、米国の芸術家の救済に当たることであった。この運動の中に多数の画家、壁画家や彫刻家が取り込まれた。

*退廃芸術*に対して向けられたヒトラーの政策とこれら二つの構想は極

めて対照的であった。

ナチスの略奪に対して、チャーチルとルーズベルトは、略奪品の奪還のためにエリート部隊を組織した。その経緯は、後日、特殊部隊「モニュメンツ・メン」として、ロバート=M・エドゼルによる『ナチ略奪美術品を救え―「モニュメンツ・メン」の戦争』（2010年）という小説を生むことになり、2014年2月に、俳優のジョージ・クルーニーが監督・主演を務めた「モニュメンツ・メン〔訳注:邦題はミケランジェロ・プロジェクト〕」として映画化された。

ローゼンベルクは、人道に対する罪と文化財の略奪の罪で、ニュルンベルク国際軍事裁判で有罪判決が下された。死刑が言い渡された後、1946年10月に絞首刑となった。

NATO

現在、文化遺産・文化財の壮絶な破壊の状況を、国際社会は茫然自失状態で受け止めている。1949年4月のワシントン条約を実装する組織であり、世界で最も強大な国際軍事同盟である北大西洋条約機構（NATO）さえも、かかる現象に対して平静を保ってはいない。

アフガニスタン、リビア、コソボの紛争で直接介入を行ったNATOは、イラクとシリアでの軍事作戦に積極的に関与した加盟国の多くと共に、2017年に、NATO SPSプロジェクト#G4866（NATO SPS CPP）を作成した。同報告書の中では、当該武力紛争とそれがもたらした文化遺産の破壊に関する様々な見解が記述されている。

この文書の重要度が極めて高いことは、その分析からNATOは、非常に慎重な扱いが必要な領域で新たな戦術策定を目論見ていることにより承認される。かかる行動を正当化する目的で、諸国民の自由、文明及び遺産の保護を命じたNATO憲章の前文を引用した。

NATO SPS CPPは、文化遺産の保護（軍事関連用語として）に関して、現在に至るまで、軍事的実践の概念的視点の発展を模索する唯一の国際的プロジェクトである。

同時に、武力紛争の際の文化財の保護のための条約（1954年ハーグ条約）及び二本の議定書は、武力紛争中の文化遺産の保護を規制する。武力紛争の拡大を前に、2016年にUNESCOは、同条約の内容を実用的な用語に置き換えて、紛争当事者に対して対応する義務を明確に示す目的で、軍事マニュアルを刊行した。NATOにとっては、同書は、戦争行為に於いて遵守すべき作戦行動上の指針である。

しかしながら、この条約の締約国の多くは二本の議定書を批准しておらず、また国内法規の調整に至っては一層の遅れがあり、これら両面は当該制度の実施にとっての基本要件となっているものの、法的枠組みの脆さが露呈している状況である。

アフガニスタンの紛争を始めイラクの最近の紛争は、この国際的枠組みに明白に違反した夥しい事象であり、考古学遺跡の近隣に軍事基地が建設されることも多々あり、文化遺産に重大な被害を及ぼした事例さえもある。

こうした状況を詳述する事例は他にもある。アフガニスタン東部に位置するハッダの仏教寺院であり、ガンダーラ美術の最高峰の一つが旧ソ連軍による空爆で破壊された。またイラクのファルージャは、ジュネーブ条約に基づき保護されていたにも拘らず、2004年4月に、アブドゥル=アジズ・アルサマライモスクが米国海兵隊によって破壊された。専門の文献の中では、「自分の命を守るために文化遺産を破壊するか文化遺産を保護するかのジレンマに置かれるスナイパー」として知られている事象である。

このような行為は、軍事作戦を展開するために。現地の住民から支持を得て、成功裡に作戦を終了することを含む所謂強化部隊（*force multiplier*）を擁護する軍部の主張とは矛盾する。

米国国防省は、反乱鎮圧作戦（COIN）を通じてかかる主張を実施に移してきた。その作戦とは、ある地域を政治的に支配する目的で武力により現状の転覆を企てることから、技術的には戦闘として認められない反乱が存在する時に生じる、非対称的な武力衝突に於いて正当性と効率を得るために軍民が戦術として一体になったものを指す。

文化遺産の保護は、つまり、COINの軸の一つである。NATOの側でも、COINに呼応する行動を取ってきたが、そこでは外交と折衷させたものを背景にしてきた。しかしながら、武力紛争の勃発により民間人の強制的な移住と、その結果としての、復興と安定という至上命令を求める難民キャンプなどの複雑な社会組織が発生する事態になると、こうした努力は周辺に押しやられてしまう。

証明事項

国際社会は、文化遺産の破壊が交戦国の格好の標的となり、同時に、文化遺産の保護のために戦闘を規制するような法的主張の立案に辟易している。NATOは、この国際社会の政治的な議題に含まれる様々な事実に基づく要素を前提としている。

この枠組みの複雑さは筆舌に尽くし難いものがあるが、人類の世界遺産として公式に登録されている記念建造物だけでなく、そこに含まれないが情緒的な意味合いまたは政治的な重要性を持つことで、社会的な機能を果たしている記念建造物にも関わっているからであり、それは特異な重要性を付与することに他ならないからである。文化遺産は、多様な価値観や信条の体系を表明するものであることは、これまで幾度も語られてきている。あらゆる武力紛争は、敵対者の中の文化の正当化や非正当性を模索する。従って、NATO SPS CPPは、その政治的価値によって、厳密な意味で保護可能である限度を超えて、民間人の保護（POC）という状況の中に文化遺産を組み入れようとし、人権に関する主張と絡めようとする。

あらゆる種類の交戦国は、議題を一本化するために宗教的及び倫理的主張に訴える。このような状況下にあって、文化遺産は紛れもない中心的な位置付けを獲得し、武力紛争の中核に置かれる政治的なアイデンティティの縮図となる。その結果、文化的共同体・集団の固有の国家主義的で、民族的で宗教的な感情を植え付ける対象となる。そして過激化や虚偽情報を流布する社会的キャンペーンを助長する気概を呼び込むのである。

NATOの結論は圧倒的である。文化遺産は政治的アイデンティティにとって重要極まりない存在であり、国境を越えることさえある現象でもある。

NATOの加盟国に於ける文化的意識の出現は重要な要素を付与する。つまり、集合的記憶と共同体的アイデンティティを構成する文化遺産の規範を強化するに至ったのである。そしてそれらは、同時に、国内の文化部門への重要な財源の誘導のための土台にもなってきた。

この規範は、軍隊が組み込まれている国内の社会的要求のために、NATOに集結する軍隊によって考慮されるべきものであるが、そこから、国際社会の憤りが武力紛争に於ける民間人を標的とする残虐行為よりも大きく展開されるかのような印象を与えることが少なくないことから、文化遺産の破壊に対する加盟諸国の反感に含みがあることの説明がつくのである。

市街戦

NATO SPS CPP対しては議論の余地はなく、その予測も明確である。近い将来、武力紛争が発生する当然の領域は都市（MOUT）であり、そこは民間と軍隊の基盤が一体となり、民間人は普通の生活を営んでいる空間である。

このような中心都市（メトロポリス）の持つ混在した特徴は、脅迫だらけで、通常の部隊とロボットの部隊の存在、合法的な政府に対する反乱、サイバー攻撃、虚偽情報や過激化の巧妙なキャンペーンが存在する中で、不変の存在となるであろう。文化遺産は、結果的に、紛争の激化またはイデオロギー的なプロパガンダの戦略として操られることになるであろう。

そして、このような主張のように、文化遺産が文化的諸表現の物理的な参照だけでなく、その実践のための基盤をも包含するのであれば、文化遺産の破壊は、集合的記憶を日常性から根絶させようとする中で、そのマナ（超自然的な力）を奪い去る目的がある。

エピローグ

NATO SPS CPPの結論は、依然として論争の的であり、極めて撹乱的な要因である。ヘロストラトスの名誉は、文化遺産の破壊を主要目的の一つにしている新規の犯罪集団の主な特徴であり、今後もそうあり続けるであろう。

多くの合理的な見地の存在は言うまでもないが、バーミヤンの石仏の破壊やトンブクツの墓地への冒涜などの事実が、偏狭な偶像破壊主義の単なる一表現に留まらずに、国際社会に対する挑戦を伴うものであったことは、NATOにとっては明確となる。そして、この状況の中でのこうした過激な行動は、大きな成功を収めてきている。

パルミラへの攻撃はかかる実情をよく表している。同地は、宗教的な意味合いや政治権力とは無縁であったシリアの遺跡なのである。

ISISが出した最初のいくつかのプレスリリースの中では、文化的記念物への言及をしておらず、UNESCOを中心とする国際社会が強い遺憾の意を表明した後に態度を明確にしていることは、NATOにとっては極めて意義深いことである。

これらの推論が有効であるならば、NATOを含む国際社会は、退路を断たれた状況に置かれていることになる。文化遺産の価値が重視されればされる程、政治的な議題の中に文化遺産を含める武装集団及びテロ組織の戦略は強化されるであろう。

武力紛争時の文化遺産の保護は、法的、倫理的、軍事的そして戦術的なジレンマの中に不当にも組み込まれるのである。

アフガニスタンの事例 文化の闇

アフガニスタンの文化遺産の保護は、遠心力が壊滅的な次元にまで達した異質の諸民族で定形のないタリバンという集合体に由来する様々な変遷に晒されてきている。その意味で、同国での最近のタリバンの復権は、文化の領域で真摯な考察を呼び起こしている。

1999年10月15日、国連の安全保障理事会（SC）は決議1267を採択し、その中でタリバンによる絶え間ない国際人道法違反及び人権、とりわけ女性と子供に対する人権侵害に加えて、アヘンとテロ活動に対する懸念を繰り返し表明した。

アフガニスタンの現状が変化する様子は全く見られない。アフガニスタン・イスラム首長国（IEA）の復権を前にした首都カブールでの支配的な状況について、国際報道機関が報道する劇的な映像が如実に物語る。タリバンの亡霊の輪郭が明瞭になり始める。

最初の暫定政権の構成も不穏要因を帯びていた。この政権の国防大臣はパシュトゥーン人のムハンマド・ヤクーブであり、IEAの初代首長で、バーミアンの巨大な石仏の破壊を命じたムッラー・ムハンマド・オマルの長子である。

安保理は、決議の中で、アフガニスタンの主権、独立、領土保全及び国家統一を尊重するという言質を再確認したとはいえ、異例の驚くべき形式で、イスラム主義国の歴史・文化遺産への尊重をも表明したのである。安保理の対応が当然至極であったことは、歴史家のアーノルド・トインビーがいみじくも述べているように、アフガニスタンは、ギリシア人、ペルシア人、ヒンドゥー教徒、イスラム教徒が合流して作り出した極めて豊かな文化の十字路であるが、その豊かさは、同時に、動乱の時代には略奪の温床になっている。

タリバンは、他の国際的な犯罪集団と同様に、資金調達目的で文化財を無差別に売却する挙に出ていたことを、安保理は当時から認識していた。また、その不正な資金調達法については、インターポールの統計によると、国際的組織犯罪の活動の中核を成し、最も収益性の高い活動の一端を担っていた。

文化財に対する破壊行為

タリバン政権の文化遺産の保護政策は、控え目に言っても尋常ではなかった。20世紀の末期に生じた事象を簡単に数え上げてみると、この断言には根拠があることが分かる。

1996年に、アフガニスタンでは、この頑強な人々が集結して政権を掌握した。オマール首長は、一切の寓意的な象徴を禁止するとの最初の布告を出したが、同時に、アフガニスタン古来の文化財は保護されるという趣旨も発令した。

3世紀から4世紀にかけて、断崖に彫られたバーミヤンの巨大な大仏は、人類の文化遺産の中で最も価値のあるものに数えられている。タリバンの政権掌握によって、今や偶像崇拝にあたると看做されたことから、これらの巨像は、コーランに対するタリバン流の全体主義的で、原理主義にして排他的な解釈の矢面に立たされた。

1997年にバーミヤンという場所を口実に、過激集団のタリバンは、石仏の破壊も辞さないという最初の声明を行なった。他方、文化大臣はそうした行動を取らないよう命じた。しかしながら、翌1998年、超過激派集団がその命令に背いて、2体の大仏の小さい方の頭部を破壊した。1999年7月、カブールの政府はアフガニスタンの文化財の保護という決意を再度表明し、記念物としての巨像の保護と考古学遺跡の発掘と不正取引の禁止という趣旨の明確な言及を行った。

2001年3月、人類の文化遺産の一部を破壊した過激派タリバンが一切の処罰を免れたことで、普遍的文化にとっての不吉な日を迎えた。前月に、ムッラー・オマールはバーミヤンの石仏の破壊を命じる新たな布告を出していた。声明は前兆的であった。宗教的指導者は、アフガニスタンの地にこうした「不純物」を残しておいたら、最後の審判の日を正当化することができないだろうと主張していた。

上記のような解釈の本質は、イスラム教内の非理性的で過激な解釈を施すものであり、抑圧的な宗教的不寛容であった。UNESCOは、偶像崇拝と神聖さ、偶像と聖像、称賛と崇敬との間にある明確な相違を考慮する必要性を説いたが徒労に終わった。

タリバン政権は、カブール国立博物館での略奪と歩調を合わせて、世界の憤慨を尻目にバーミヤンの石仏の破壊を命じた。このような事実は、別々の事象としてではなく、アフガニスタンの伝統や文化遺産またはタリバンがイスラム法（*corpus juris*）であるシャリーアに反すると判断するあらゆる他の宗教的表現を根絶させるために熟考された戦略として捉えることが妥当であろう。

更に、このタリバンの行動は、国連に対する挑戦と国際法及び国際世論への軽視の現れであり、国際世論は、多大な文化的価値を持つ場所に対して意識的に行われた破壊行為を悲嘆にくれて見つめていた。文化遺産の保護に関する国際的な記録の中で、これほど意図的で組織的な破壊の（記録の）前例はない。

偶像破壊

歴史を通じて、人類の文化遺産にとって多大な損失の結果をもたらした偶像破壊運動が展開されてきた。別の側面では、武力紛争が当該遺産に対して不可逆的な損傷をもたらしている。

タリバンという宗教的・文化的に病的な集団は、独自の特徴を有しているので、結果的な破壊は、敵の文化遺産減損を目的とする武力対決の渦中に組み込まれるというのではなく、むしろ、自己の信条に反するあらゆる文化的・宗教的表現を根絶させることに主眼が置かれていたことである。バーミヤンの石仏の破壊は計画的で世界中に知らしめた企てであり、最終的には阻止しようとする国際的な呼びかけを意にも介さずに実行された。

悲　嘆

アフガニスタンは動乱の状況にある。経済的に崩壊しており、国民は極貧に打ちのめされているのに加えて、徹底した神権政治の中に押し込められている。宗教的不寛容は、度重なる人権蹂躙の引き金となってきた。

かかる動機によって、タリバンの行動は、国際法に違反し国際平和と安全に対する脅威と見做されているが、更には、国連憲章第七章に基づき制裁措置の発動に値する可能性がある。

これらの出来事は、戦争行為中の文化財が果たし得る役割とその意味を熟考する可能性に関して武力に訴える限界寸前の所で生じている。

この点についての国際社会の行動は、2003年10月にUNESCOの総会で採択された*文化遺産の意図的破壊に関するUNESCO宣言*だけになってしまったが、そうした活発さを欠く結果は徐々に克服されて行った。文化遺産の破壊という計画的行為について、諸国家及び個人の犯罪責任を問うことは、遺産の機能と文化の破壊の間の緊張を解きほぐす新たなシステムの構築を想定する可能性に繋がる。

バルカン戦争時に加えられた遺産への損傷に関して、旧ユーゴスラビア国際刑事裁判所の判例及びシディ・ヤヤ・モスクなどのトンブクトゥの14箇所の霊廟への侮辱に対する国際刑事裁判所(ICC)の判決を見ると、タリバンの破壊行動が無処罰のままで済まされないと示唆するように思われる。この犯罪の遂行に関わった武装グループの幹部であるアフマド・アル・ファキ・アル・マフディにICCが下した判決は、国際的な集合的記憶の中に刻まれているべき事例であろう。

エピローグ

西洋とUNESCOを含む国際組織は、緊急的措置として、タリバンを孤立させない方向で考えていて、苦労を重ねてタリバンとの対話を構築することができた。その対応は、文化遺産の保護に繋がる可能性を有する。

文化遺産は教育的・知的、政治的な意味合いを帯びているので、それ自体が中立な事物でないことは明白である。従って、文化遺産の計画的破壊に関する分析は、大虐殺のような人権を巡る問題に相当する次元に位置づけて、文化的虐殺と呼ぶことができる。しかし、文化遺産は、中立性の欠如のために歴史とは相容れない状況にあるが、その破壊の行為は我々人間を歴史に直面させるのである。

ヨーロッパ中心主義と先コロンブス期の遺産 (I)

ディエゴ・ウルタド=デ=メンドサ(1503年～1575年)は、スペイン王フェリペ2世の宮廷で外交官として仕えた詩人である。人文主義者で多言語に堪能であったテレサ=デ=ヘスス(アビラの聖テレサ)と親交があったウルタドは、スペイン初の近代小説と見做される『ラサリージョ・デ=トルメス』の作者とされている。宮廷内の陰謀によって宮廷から追放されたが、処分によって被った害を緩和するために、所有していた評判の図書館をフェリペ2世に寄贈した。また、ウルタドは、膨大な*インディアス*〔訳注:西インド諸島・中南米〕*の金製の偶像や作品*を収集していたとの記録がある。

ウルタド=デ=メンドサが所有していた先コロンブス期の作品と、最初のギメラ〔訳注：カタルニアの町〕伯爵のガスパル・ガルセラン=デ=カストロ=デ=アラゴン=イ=ピノス（1584年～1638年）の所蔵品とは双璧を成していた。とは言え、この稀有な例を除き、専門的な意味で先スペイン期の文化財のコレクションはスペインには存在しなかった。

スペインの法律によると、新規の領土と先住民の記念物は王家に属していたが、王家が彼の地から盗取した宝物の収集と保存の政策は手薄であった。1716年になって王家は、収集に関する正式な指針を導入し、正しく上述の文化財が含まれることになった。

当時の収集品カタログが存在しなかったので、収集品の分析の範囲を広げる必要があるのは明白である。即ち、現オリエンテ宮殿〔訳注：マドリッド王宮〕に所在していたマドリッドのアルカサル宮殿に保管されていたフェリペ2世のいくつかのコレクションについて記載した、フランスの外交官達との間で交わした書簡までが分析対象になるということである。

しかし、先コロンブス期の古美術品に関して克明に記載する労を取ったのは、ピエール・デ=ヴィラール（1623年～1698年）と妻のマリー・ジゴー＝ド=ベルフォン（1624年～1706年）であった。

ジゴー＝ド=ベルフォンとクーランジュ夫人のマリー＝アンジェリーク・ゲ=ド＝バニョル（1641年～1723年）との交換書簡は、「*魔法にかけられた王*」ことカルロス２世の治世に関する傑作であり、フランス文学の秀作の一つに数えられている。両者とも、書簡様式を存分に追求したフランス文学者の一人であるセヴィニエ伯爵夫人マダムマリー・ド=ラビュタン=シャンタル（1626年～1696年）の信奉者であった。

大　筋

メキシコの文化財の取引について、納得の行くような説明を試みる全ての分析は、16、17及び18世紀のヨーロッパの収集に重要な影響を及ぼした、中世ならではの記録として残る投機的思考と姿勢を原則的に取り上げる必要がある。

中世のスコラ学的収集は美術を神と結び付けていた。寺院は美術品の貯蔵所となり、そうした作品には、聖杯、大燭台、タペストリー、墓碑などのように宗教的な意味が植え付けられていた。

とりわけ重要であったのは、使徒と殉教者の聖遺物であった。信仰の対象は、そうした人々が触れていたかもしれない全ての品物にまで広がっていた。そのため、貴重な聖遺物箱の中に厳重に保管されており、顕著な政治的含蓄さえも有していた。このように、聖遺物には個々の特性と権威が付与され、環境を神聖化するには十分であり、結果的に教会の支配の拡大に繋がった。こうした信仰は、多額の収益をもたらす敬虔な信徒の巡礼を促していた。奇跡と天啓の普及には十分なアイデアである。

中世とルネサンス期には、従って、聖遺物は、奇跡を起こす名声が凝縮された驚異的な特性によって評価されていた。聖遺物を貴金属と精巧な手工芸品で囲むための更なる動機であった。

中世には、美術はカトリック教会へ奉仕する教育的機能の下位に置かれていた。1025年のアラスの公会議に始まり、トリエントの公会議（1543年～1563年）によって増進されて、非識字者は聖書を読むことができなかったが、絵画鑑賞を通じて神に近づくことができると決定した。それによって、信徒が単なる鑑賞から霊性へと移動することができて、それによって神と結び付くことを目指していた。

同じ時代の美の理想は、カトリックの表現と象徴主義に集中していた。更に、自然は、俗人に象徴的な方法で語りかけていると考えられていた。美と美徳は共生的な関係にあり、美術は神が下す命令であった。この前提は文化財の理解に於いて支配的であり、そこではその命令は重要ではなかった。

蒐集家にとって極めて重要なことは、対象が*珍品*（*curiosités*）であることで、それらが並外れた状態または状況から生じていたことである。即ち、中世の別の美的基準は、収集物の蓄積または作品の分類に関しては表層的ということであった。

ルネサンス期になって、漸く蒐集家たちは、目的を明確にして活動を正当と認め始めたとは言え、依然として以前の時代の装飾基準を引き摺っていた。

実際のところ、ルネサンス期当初に於ける収集の意味は、相変わらず中世の規範に従うものであった。その後、神学論法は徐々に世俗的なものに取って代わられて行った。ルネサンス期の収集を貫いていた公理は、中世から受け継いでいた象徴主義と寓喩を利用する上で、この活動と美術品の分類が、特定の意味を持つ貴石で装飾した極めて貴重な作品の集合体によって表現されるミニチュアの宗教的創作物を可能にしたことである。これこそが宗教美術を正当化する根拠である。

先コロンブス期の美術品のような新たな物件が美術市場に登場したのは正しくこの時期であり、収集の形成基準に関する別の疑問点を呼び起こした。そのような物件が本当に収集可能であるかの調査がその一つであった。ヨーロッパの美術市場への先コロンブス期の新たな魅力的な作品の導入は、ヨーロッパと新世界という根本的に異なる文明の出会いに由来する当然の帰結であった。その異国趣味のために先コロンブス期の美術品はヨーロッパの収集者達の注意を引いたのである。

征　服

インディアス由来の文化資材（マテリアル）が、ヨーロッパの芸術家達に驚愕の念と好奇心を掻き立てたことは、アルベルト・ドゥレロ、ベンヴェヌート・チェッリーニ及びピエトロ・マルティーレ=ダンギエーラの驚嘆する表現が示すとおりである。

新世界についての理解は、驚くべき事（奇跡）、異教、託宣に関する公準を含む、中世に行われた分類を通じてであった。実際、ヨーロッパの知的エリート層の関心は、植民地化以外では、先住民の世界観を理解するための説明であった。

征服者達の脳裏に植え付けられていた美的分類は、年代記作者のベルナル・ディアス=デ=カスティージョの作品でかくも鮮明な筆致が示すとおりである。金銀製の手工芸品と絵画の描写が重視されていた。ミケランジェロ・ブオナローティ（1475年～1564年）やスペイン、バレンシア出身の画家のペドロ・ベールゲテ（1445年～1503年）への言及は、ヨーロッパの美的規範への恒常的な論及の紛れもない証拠である。スペインの中世の騎士道物語である『アマディス・デ=ガウラ』に同様の引用があることからもその確かさが盤石になる。

このようなおとりを使って、征服者達は、先住民の創作物に染み込んでいる独自の象徴的価値を、西洋の理財的価値に置き換えた。一番の関心事は、彼らの文化に同等なものが存在し、何らかの類似性を有する作品であった。

先住民の価値を表していたが、ヨーロッパでは経済的価値のない材料で作られていた古美術品には、征服者たちは関心を寄せていなかった。

これらの物珍しい作品は、献上品または略奪品としてスペインに届けられ、不明確な未来図の下でヨーロッパ中に拡散した。征服の大義に対する賛同を得る目的であった。また、マドリッドの宮廷は、外国政府に対して、先住民のスペイン当局への服従を示す証とする品を献上した。

1520年、エルナン・コルテスによる新大陸からの最初の送付物がスペインに到着した。まずバジャドリッドで披露され、その後フランドル地域で展示された。コルテスからカルロス5世への3度目の送付には、メキシコの先住民にスペイン、カスティージャの王への臣従を要求した通告に転写されていた宗教的モチーフの聖像、十字架や大型メダルが既に含まれていた。これらは、新大陸アメリカに於ける美的文化摂取の最初の兆候であった。

コルテスがスペインに送った金製の装飾品や儀式用の道具の多くは、溶解され正金に変えられたことには疑いはなかった。宝石に関しては、ヨーロッパの金銀細工師に当時の好みに合わせた加工をさせるためにヨーロッパの金銀細工師に送られたものもあった。元の宝石細工から外された貴石には、当時のスペインでの一般的な様式に従って粗彫が施された。

中世の分類に関する記述は、ディアス=デ=カスティージョによるもの以外にも多数存在する。一例は、バルトロメ・デ=ラス=カサス師である。著書『弁明史総論』の中で先住民保護の弁論を展開しており、同様の枠組みで分析をしたことで、当時のスペイン人のメンタリティの確実な描写となった。この著作は、ヨーロッパの規範に基づく先コロンブス期の諸文化に関する分析を明らかにする。その目的は明白そのものである。同文化とその表現を西洋的メンタリティにとって理解可能にすることである。

征服者たちは、服従させた諸部族が信仰し続けていた異教の根絶を繰り返し試みた。1577年には極限に達した。フェリペ2世の発した勅令は、聖職者による先住民の習慣に関するあらゆる編纂を禁止し、征服地からの先コロンブス期の物品の輸出を拒否した。勅許証は、当初、ベルナルディノ・デ=サアグン師の著作に言及していたが、その内容からすると一般的な有効性を持っていた。

用益権者たち

先コロンブス期の作品の離散の最大の受益者が大英博物館であったことは疑いがない。同館は、19世紀の競売と遺産によって、重要な作品、とりわけ、モザイク上のトルコ石に施した彫刻を取得したことで、この種の古美術品の最も重要な受け皿の一つになった。このように、大量の作品が、1866年にパリでウイリアム・アダムスによって取得された。アダムスは、大英博物館の代理人を務めていて、取得した大半の作品の出所はトリノであると断言した。

アダムスは、高い価値のある先コロンブス期の作品を取得し、Sirオーガスタス=ウォラストン・フランクス（1826年～1897年）に届けた。出所は明確ではないが、アダムスが示したところによると、当該作品の多くは、イタリア北部のイタリア人蒐集家達から取得されたというものであった。これらの作品は、1868年から大英博物館で展示された。フランクスは、大英博物館の英国中世の骨董品及び民族誌部門を司る学芸員であり、収蔵家としても知られる政治家ラルフ・バーナルのコレクションから、博物館の責任者として逸品購入に当たった。大英博物館に於ける最も重要な収蔵家と見做されている。

正に主任管理者としてのフランクの下で、同館が、トルコ石の仮面、メソアメリカの先住民ミシュテカ族の顔及びトルコ石の双頭の蛇という秀逸な作品を取得した。大英博物館が取得した他の珠玉の作品は、1830年までフィレンツェに置いておかれて、17世紀半ばの目録に記載されたメディチ家のコレクションに含まれていた。

アステカの雨の神トラロックを表すモザイク模様の仮面は、1870年にパリのデミドフギャラリーでの公開入札で大英博物館がこれを落札した。

当初エジプト出所と分類されていた先コロンブス期の作品は、1866年、1868年及び1894年に、上述のイギリス人ウイリアム・アダムスの仲介によって、パリで開催された公開入札で大英博物館が取得するに至ったことは明らかである。

当時の英国の博物館誌は一つの確信を示している。取得された先コロンブス期の作品は民族誌的ではなく神学的説明の文脈の中に位置づけられていたが、その理由は異教の概念が根強く残っていたからである。

エピローグ

社会的プロセスは一様であることは決してなく、制度組織に対する影響も一律ではない。具体的には、中世とルネサンス期の場合である。この前提から、新世界の意味を探索し解釈するヨーロッパの傾向も一様ではなかったと推論することが可能である。これら二つの世界の出会いを前に、そして被征服社会の住民、動植物層及び*珍品*（*curiosités*）の意味に関して、特にヨーロッパ人の間で様々な推測が広がっていた。

当時優勢であった宇宙論的不確実性は、ルネサンス期のコレクションを整理しようとする動機を鈍らせた一方、先コロンブス期の文化的表現の参入は、前述の中世から続く規範に従い続けることになった。

ヨーロッパ中心主義と先コロンブス期の遺産（II）

ルネサンスの間も、スペイン人のメンタリティは、託宣と人類の起源に依然として縛られたカトリックのメンタリティが染み込んだ中世の耽美主義によって支配されていた。メディチ家という豪奢なルネサンス時代の家系は、それらの美的規範の受益者であった。尚、その規範に従うと、それぞれの理財的価値を有するが、宗教的な覆いのない先コロンブス期のような文化財は軽視されていた。

こうしたメンタリティは、コレクションの分類で優勢であった異教という新たな社会的分類の導入を助長した。この視点の下では、先コロンブス期のあらゆる文化的慣行または表現は、異教の存在を証言するものとしてのみ意義があった。

インディアスの地からヨーロッパへ渡った僅かな先コロンブス期の物件の大半は、イタリアを入国港とする秘密の航路で運ばれた。この地理的要素は、メディチ家並びにコスピ家、ジガンティ家及びアルドロヴァンディ家のようなイタリアの一族のコレクションのカタログと目録に、上記の物件についての言及があることを示している。

先コロンブス期の物件の集積は、様々な方法によって画策された。カルロス5世は、歴代のローマ教皇と友好関係を結ぶ意図で、レオ10世（ジオヴァンニ・デ＝メディチ、1475年～1521年）やクレメンス7世（ジュリオ・デ=メディチ、1478年～1534年）に対して、スペイン中部の町シマンカスに保管しておいたインディアスの宝石として知られるコレクションの中から逸品を選んで寄贈した。このような事実は、メディチ家がメキシコの古物を熱心に収集していたという説を裏付けるものである。

メディチ家のコレクションは、トスカーナ大公のフランチェスコ1世・デ=メディチ（1541年～1587年）の時に正式に始まった。大公は、1570年、フィレンツェのウフィツィ庁舎でメディチ家が所有する美術品を展示した。そのために、フィレンツェ出身のマニエリスムの芸術家であるルドヴィコ・ブティが、1588年に、異国情緒のある熱帯の鳥類に囲まれた先住民の貴族達の寓喩を込めて、ウフィツィ庁舎の兵器庫の吊り天井に絵を描いた。他のフレスコ画は、メキシコの征服と異教徒とキリスト教徒の戦いを描写したものである。

その施設は、メディチ家の豪華な衣装、兵器や新世界原産のものを含む博物学関係の物件の保管用であった。描かれたフレスコ画は、その場に相応しい雰囲気を醸し出していた。当時、この新たなアプローチの結果とメディチ家の伝統と相俟って、新世界由来の文化財に対する関心が再度高まった。

メディチ家のコレクションの豊かさには驚嘆の念を禁じ得ない。同コレクションの中には、メキシコの先住民の言語のミシュテカ語に翻字され、14世紀の祭儀と系図の暦を記載した『ウイーン絵文書I』（*Codex Vindobonensis Mexicanus I*）、及びスペインによる征服初期に描かれた『アステカ絵文書』に含まれる16世紀の『マリアベッキアーノ絵文書』（código azteca *Magliabechiano*）が保管されている。また二つ目の絵文書は宇宙論的・宗教的要素の語彙集である。

ウフィツィ庁舎のフレスコ画だけが、先コロンブス期のモチーフを表現した訳ではなかった。エティエンヌ・デローヌ（1519年～1595年）、ヨースト・アマン（1539年～1591年）及びジョヴァンニ=バッティスタ・ティエポロ（1696年～1770年）が、独自の動植物相や先住民族を有する新世界の寓喩を絵画の中に積極的に盛り込んだ。最も優れた作品と見做しうるのは、フランドルの画家のヤン・ファン=ケッセル（父）（1626年～1679年）の「アメリカ」（*Amerika*, 1666年）であり、現在はミュンヘンのアルテ・ピナコテーク（旧絵画館）に展示されている。

メディチ家の衰退により、ヨーロッパでは先コロンブス期の文化財の大規模な離散の一つが発生した。目的地はローマのルイージ・ピゴリーニ国立先史民族学博物館、ベルリンの民族学博物館やコペンハーゲンの国立博物館といった著名な博物館であったが、起点からそこまでの経路を辿るにはあまりにも複雑である。

この禍の中で際立っているのは、所謂「アステカのモクテスマ皇帝からの贈呈品」であり、真偽を巡っては最も物議を醸した議論が展開されている。その中の簡潔な言説では、ベルナル・ディアス=デ=カスティージョの主張やベルナルディノ・デ=サアグン（1499年～1590年）による伝聞証言が主流となっている。また、エルナン・コルテスはカルロス5世宛に何度か船積みを行なっているが、新大陸からの送付は決してそれに留まらなかったことも付言して良いかもしれない。即ち、フアン・デ=

グリハルバが言及するもの及びアステカ帝国の首都テノチティトランの陥落後に生じた事である。

先コロンブス期の文化財を特定する分析に於いて、その出所及び経路については重大な不明点が存在する。その分析は、メキシコ側の情報源または該当するヨーロッパのカタログに基づいてなされているが、同カタログは、日々の業務に没頭していた、先コロンブス期の物件の確実な特定とその重要さの査定には経験不足のアーキヴィスト（情報の査定・補完の専門職）の手によるものであった。不確かな情報はあらゆる分析の矛先を鈍らせることになり、結論への反論を誘発した（Christian Feest）。

インディアスの羽毛芸術作品

蒐集家の間で最も珍重された先コロンブス期の作品の中に羽毛芸術作品がある。問題は、作品が制作環境から切り離されたために文化的関連付けが破壊され、作品の最低限の層序的関連さえも不可能になり、内容の解釈には克服し難い困難さに遭遇することが少なくないことである。

テクパン（王宮の羽毛芸術家）、カルピシャン（王家の宝物の羽毛芸術家）及びカジャ（羽毛職人）から成る羽毛芸術家達は、この類のない芸術品を制作した。その独自性は、芸術と宗教の間の紛れもない共生関係だけでなく、自らの伝統的な芸術規範に慣れ切っていたヨーロッパ人にとっては未曽有な経験となった芸術と自然の融合とを包含することにあった。

スペインの宣教師達は、先住民の宇宙発生論に於ける羽毛芸術の重要性を感じ取ったことで、福音伝道と文化摂取計画に基づいて現地住民の*悪魔祓い*を行うために、絵画と一緒に羽毛芸術作品を利用した。メキシコ中西部に位置するミチョアカン州内のティリペティオ美術学校と同州パツクアロのサン・アグスティン修道院の工房は、植民地時代の初期に上記の目的に加わった。

征服者たちの中世の美的規範が、先住民達に対して、この種の芸術にカトリックのモチーフ転写すること、即ち、羽毛芸術に巧妙に反映された、メキシコ先住民に関するヨーロッパの美的文化摂取を示す慣行を強いていたことは明白至極である。その結果、羽毛芸術作品の主題での激変が起こり、新たな文化の開花を示す融合的要素が生まれた。

メディチ家やその他のヨーロッパのコレクションは、羽毛芸術作品を積極的に収集していた。しかし、より多くの分析が集中し、大いなる論議を巻き起こした作品は、言うまでもなく、アステカ帝国の皇帝モクテスマ（Moctezuma Xocoyotzin）のものであったとされる古代メキシコのペナチョ（羽根製頭飾り）である。この作品は、トルコ石の盾や*聖母子*やアガベ（竜舌蘭）製の紙に表現された*聖ヒエロニムス*などを表す様々な羽毛作品と共に、ウイーン世界博物館に収蔵されている。

1539年に、コジモ1世・デ=メディチがこの種の文化財を相当数所蔵しており、息子のフェルナンドは、フランチェスコ1世・デ=メディチの2度目の妃であったビアンカ・カペッロ=スフォルツァに贈った2枚の羽毛製の絵画を所有していた。

羽毛の司教冠は絶賛された。現在分かっている冠については二つの説がある。一つ目の視点で所蔵が確認されているのは、リヨン織物装飾芸術博物館、フィレンツェの銀器博物館、マドリッドのエル・エスコリアル修道院、ミラノ大聖堂―伝統に従って、改宗したてのメキシコの先住民達から教皇ピウス4世に贈呈したことで、同寺院所蔵の宝物となった―及びドイツのホーエントヴィール個人コレクションに該当するもので、これは現在ではニューヨークの米国ヒスパニック協会の所蔵品となっており、贖罪の謎に関するテーマがこれらの作品の共通点となっている（Alejandra Russo）。

他方、二つ目の視点で分類された冠―ウイーン博物館で紋章によって特定された司教ペドロ・デ=ラ=ガスカ（1493年～1567年）所蔵品、及びスペイン、トレド博物館所蔵品―は、それぞれの頂点にキリスト磔刑と無原罪の御宿りが描かれているキリストの系図や生命の樹のような入念に考えられた光景を表している。

羽毛芸術の絵画に関しては、何点かはイタリア、マルケ州の州都アンコーナにあるロレトの「聖なる家」のバシリカに保存されていて、聖ヒエロニムス、聖アンブロジウス、聖アウグスティヌス及び聖グレゴリウスを表している。それらの作品は、1668年にピエトロ・ランフランコーニ司祭（1596年～1674年）から同教会へ寄贈されたことが判明している。

メキシコの羽毛芸術のその他の作品は、マドリッドの王立兵器博物館及びアメリカ大陸博物館にある。特に重要な作品は、やはりマントで、当初はモクテスマ皇帝のものとされていた品目であり、ブリュッセルにあるベルギー王立美術館に収蔵されている。

イタリアの特選コレクション

当時のイタリアのコレクションは、数が多いだけでなく非常に多様なので、分類が困難となっている。これらの財産が初期には中世の規範に従って評価されたとは言え、その視点は徐々に力を失い、*珍品（curiosités）*の単なる集積を超える整理基準を備えた、初期の科学的な百科事典的分類に代わって行った。

ルネサンス初期に、ガスパーロ・コンタリーニコレクションが形成され、後にヴェネツィアの最も重要なコレクションの一つとなり、後にカルロ・ルッツィーニ（1653年～1735年）の遺産に含まれるに至った。カルロス5世の宮廷へのヴェネツィア大使であったコンタリーニは、1525年に、インディアスの羽毛作品の羽根の色彩的構成及び虹色の光沢を目にして茫然自失に陥った旨を『報告書』（*Relazione*）に記している。

その後、記憶に残る他のコレクションが作られ、アントニオ・ギガンティ（1532年～1598年）及びウリーゼ・アルドロヴァンディ（1527年～1605年）のコレクションは、職人が作り出した作品を自然由来の物件と区別する新たな分類識別法を導入した。

ギガンティは、大司教で人文主義者のルドヴィコ・ベカデッリ（1501年～1572年）の主事を務め、ベカデッリからコレクションを継承し、後にボローニャの司教のガブリエーレ・パレオッティ枢機卿の主事となった。調和の取れた方法で文化資産を整理した最初の蒐集家の一人になった。その資産の中では、2枚のペナチョ（羽根製頭飾り）、1点の絵画及びフロリダ由来のメキシコ先住民タラスコ族の羽毛芸術の冠並びにメキシコ先住民メシカ族の絵文書が秀逸である。

しかし、当時の最も重要な先コロンブス期のコレクションの一つは、ステファノ・ボルジアのものである。ボルジアは、ローマ教皇庁に属し、現在は福音宣教省と呼ばれている布教聖省（*Sacra Congregatio de Propaganda Fide*）の主事の後に長官を務めた。在職中のボルジアは、インディアスに定住していた全ての宣教師達と連絡を取ったことで、個人の資産を増やすことになった。

アルドロヴァンディは異なった教育的背景があった。ボローニャ大学の研究職として、所有していた物件を教育目的で利用していて、個人コレクションを調和的または対称的なものにしようとは考えもしなかった。所有していた聖ヒエロニムスの冠については、創作した職人達の作業の繊細さと材料の羽毛の珍しさに感嘆したと表明した。

フェルナンド・コプシ侯爵（1606年～1686年）も引けを取らなかった。1667年に個人コレクションをボローニャ大学に寄贈し、クレモナ出身のロレンツォ・レガーティに目録作成を託した。結果は、有名なカタログ『金属博物館』（*Musaeum metallicum*）に結実し、そこにはメキシコの寓喩が含まれている。この遺産がコスピ博物館の創設に繋がり、ダンテ・アリギエーリの肖像が強い存在感を示している。寄贈された作品の中には、『ボローニャ絵文書』（*Codex Bologna*）としても知られている『コスピ絵文書』（*Codex Cospi*）があり、絵文字の精妙さは光彩を放っている。

当時の屈指のコレクションとしては、1615年に出版されたヴィンチェンツォ・カルターリの有名な補遺『古人達の神々の真の新しい姿』（*Le vere e nove imagni degli dei delli antichi*）が含まれているロレンツォ・ピニョリアのコレクションも見逃せない。カルターリは、日本、中国及びメキシコの神話の驚くべき比較研究を進めたが、メキシコの神話については、アステカ、トルテカ、ミシュテカ及びマヤのような異質な文化を一括りに扱っていた。しかし、カルターリの動機は、異教の様々な変異状況を例証することに他ならなかった。

博物学関係のコレクションは、植物園、骨董屋や科学目的を有する図書館の統合によって充実した。この状況に歩調を合わせて、フェルディナンド1世・デ=メディチは、ピサの植物園を再編し、程なく研究センターに改組された自然史博物館を建造した。他方、コジメ1世・デ=メディチは、実験のアカデミー（*Accademia del Cimento*）を創設し、そこではメキシコの植物が栽培されるようになり、薬用目的での利用が奨励された。

エピローグ

植民地時代に、征服者達は異教という新たな社会的カテゴリーを導入して、それを通じて新世界の住民に烙印を押し、彼らの文化多様性を理解しようと努めた。基本的に奴隷であったヨーロッパの野蛮人と先コロンブス期の住民達等の野蛮な民族は、同一のカテゴリーに含まれていた。

キリスト教の美徳と価値は、説教師による異教と見做す慣行と伝統の対照と共に強化されて行った。かくして、文化多様性は、キリスト教に対抗する全ての人々を一つの社会的カテゴリーに含めるために、異教を均質化する必要性に屈してしまった。

更に、植民地時代初期に出現したカトリックの神学論文の分析を加える必要も考えられるであろう。使徒達はキリストの公教要理により布教活動をすべく世界中に向かうとする福音の教義との対立を回避するための拠り所を求めていた。新世界に於ける先住民の存在が、この聖書の*見解*（*dictum*）と対立していたことは明白である。

決着のつかない神学論争は、植民地化に対して重大な結果をもたらした。現地の住民は人間にあらずという極論や、先住民族は、ノアの方舟の時代から失われた部族、またはイスラエルの多くの失われた部族の一つであるとする想像もあった。

宣教師の著作の筆致には断固たるものがある。先住民の習慣や表現を常にヨーロッパ流に移し替えることは、現地には機能的な文化的同等物がないことから、結局は正確さを欠くものでしかない。目的は明白である。先住民の習慣等をヨーロッパ人のメンタリティーにとって理解しうるようにすることである。結局、この文化摂食は、先住民のメンタリティーをヨーロッパ人のものに置き換えて、植民地化を正当化することに終わった。

上述のことは、先コロンブス期の文化財のコレクションの分類を見れば一目瞭然であった。当該文化財の不当な所持者達にとっては、その由来は取るに足らないことであり、重要なのは、異教の属性が骨董品を際立たせていることであった。

それらのコレクションについては、中世の思考は、すっかり世俗化した思考に変貌したことで、*珍品*（*curiosités*）に先コロンブス期の他の創作品を加えて中に並べた*飾り戸棚*の公開を求める社会的強制力へと次第に変化して行った。

やがて、民族学はヨーロッパの叙述を変化させ、それに伴い諸選集の構成に関する論理展開にもその影響が及んだ。その結果、異教の社会的カテゴリーは徐々に排除されて行ったことが特徴的である。

IV. メキシコによる返還請求

共和国の歴史と文化遺産

ソフト・パワーという概念を考案したのはジョセフ・ナイ（1937年～）である。その考え方はパワー（権力、覇権）と名声の新たな形式を概念化したもので、多くの場合、軍事力と経済力を含む伝統的なハード・パワーに取って代わる。両方のパワーは、支配的権力の戦略としての壮麗なパワー（poder lúcido）を作り出している。

文化遺産は、国民のアイデンティティ、集合的記憶及び社会的結束等の要素を調和させる言説を意味するから、メキシコではハード・パワーが無差別に使用されていても、ソフト・パワーの行使に適した文化的エコシステムを導く働きをする。

20世紀のメキシコで見られたこのハード・パワーの無差別な行使を総括したのは、先住民のナワ族が制作したトラロック（雨の神）の石像を巡る事象であった。1964年4月に、軍隊の保護の下で、メキシコ州サン・ミゲル・コアトリンチャン町からメキシコ市の国立人類学博物館への搬送がなされた。無防備な同町の住民への国家による露骨な辱めの行為に対する明白な住民の怒りは予測可能であった。メキシコ市の中心街を水浸しにした稀有な大雨の中で行われた石像の搬送は、雨の神トラロックの仕業であると人々は想像力を膨らませた。

文化遺産を頻繁に査定することは、その変化し易い性格を公理化する。この警句にも拘らず、ソフト・パワーは、文化遺産を所有概念として想定し、所有物としてこれを主張する。文化遺産は静的な物ではない。それどころか、アイデンティティが、特に公共空間及び記念物に於ける有形文化財と結び付き、再確立される場合、そしてアイデンティティが、個人、集団と共同体、更に国家自体の様々なニーズを充足するために、構築・再構築される場合では動的であるのは言うまでもない。

20世紀の大半の時期は、メキシコでは文化遺産の所有概念が支配的であったため、文化遺産は公有財産の概念の中に組み込まれるに至った。文化財の保護主義的概念は、有形文化遺産の公有財産と私有財産の間の明白な緊張関係の存在によって、同時期を特別な期間として区別したかもしれない。文化遺産の物質主義的概念は、20世紀を通じて存続したイデオロギーの中に埋め込まれていた。

大局的に見ると、メキシコで20世紀の幕開けに起きた二つの事象は、適切な側面を作り出している。ハード・パワーを完璧に行使しながら、連邦政府は、独立100周年記念行事に当たり、200人程の所有者からテオティワカンの遺跡を強制的に買上げる意図を表明した。この購入を巡る主要人物は、メキシコの古代遺跡の総括監査官・キュレーターであったレオポルド・バトレス=イ=ウエルタであった。

テオティワカンの脅迫的な方法での購入は、ユカタン半島のチチェン・イツァー遺跡内のティヌム地区にある壇3232号の所有権を取得した、ユカタン州プログレソ市に駐在していた米国領事エドワード=ハーバート・トンプソン（1857年～1935年）の事例に準えられた。この購入によってトンプソンは、1904年3月以降、セノテ（聖なる泉）の浚渫を開始することが可能になった。ハーバード大学の考古学者アルフレッド=マーストン・トザー（1877年～1954年）とチャールズ=ピカリング・ボウディッチ（1842年～1921年）の支援を受けて、トンプソンは、古代遺跡と記念物のキュレーターのサンティアゴ・ボリオとの破廉恥な共謀によって、ボストンの名門エリート（ボストン・ブラーミン）から資金援助を得た。この略奪は、1923年4月、『ニューヨークタイムズ』紙の記者アルマ・リード（*“La Peregrina” 巡礼者*という歌が捧げられた女性として有名）による記事の中で批判され、突如として世間の注目を集める事件となった。

トンプソンによる購入は、最も長引いた係争の一つを引き起こしたと言え、国家による文化遺産の所有権主張を私有という執拗な抗弁と対決させていた。チチェン・イツァーの遺跡内の土地の正当性に関するこの異議は、2010年3月にユカタン州文化保全観光振興財団による当該壇の取得によって最終的に落着した。

ナショナリズム

メキシコ国家が、文化遺産、とりわけ考古学遺産の保存の概念を推進したのは19世紀のことであるが、愛国心を吹き込む様々な価値と意味を社会に注入するという明白な目的を有していた。メキシコの途轍もないパラドックスは、*考古学的先住民*の崇拝の一方、20世紀末まで存続した先住民共同体の疎外と同集団への無関心であった。

当時の文化遺産の言説は、政治エリート層による絶対・包括的な国民文化の強要を狙い、その正当化の絶えざる追及の一環としてのナショナリズムの言説と結び付いていた。この伝統的な考え方は、文化的愛国心とは、メキシコ社会の集合的目標のために、ナショナリズムとその異種である愛国心に相応しい手段であると称讃していた。そればかりか、ソフト・パワーの行使の最も明白な表現の一つは、文化遺産の由来と名声を強化し、その社会的・政治的一貫性を与えるために文化遺産を利用することであった。

21世紀の初頭に、文化的愛国心の変質は紛れもない状況を呈した。既に所有物としてではなく人類の遺産として位置付けられた。文化的愛国心のこうした進化のクライマックスは、国連安全保障理事会の議長であったイギリス大使ピーター・ウィルソンの発言に表現されていた。ウイルソンは、—文化遺産の保全に関する2017年3月の決議第2347号の採択時に—文化遺産の破壊に対しては、国際平和と安全保障へのあらゆる脅威に対するものと同様の強さ、結束及び意図を以って対処すべきであると主張した。

それに加えて、サヴォイ－サール報告書（フランス人美術史家ベネディクト・サヴォイとセネガル人学者で作家のフェルウィン・サール）と整合性を有する、エマニュエル・マクロン仏大統領により要請された革新的な出来事の中で、2020年7月に、ダホメ（今日のベナン共和国）の11番目の王であったベハンジン（1844年～1906年）の宝物と、セネガルのスルタンであったエルハジ・ウマール＝トゥールの所有物であったとされる鞘に収められたサーベルのように、フランスの美術館のコレクションに数えられる極めて重要な文化財2点のサブサハラアフリカへの返還を実行する法案を国民議会に提出した。

パワー（権力）

この変異にも拘らず、国家の実権は、文化遺産に及ぼす影響力によっても支配によっても、我が国のシステムに於いて異論を挟む余地はない。この支配は、ソフト・パワーの表現の明白な証拠であり、ソフト・パワーの目的の一つは、記念物が歴史の証人となり、記念祭で用いられることが、歴史的記憶と様々な国民的価値を再確認するように働きかけることである。

文化遺産は、集合的記憶と知識を授かるときに真の広がりを獲得する。遺産の概念は、文化的共同体・集団の諸表現の中に見られる相乗作用を有する、傑出したコミュニケーションの経験である。かかる形態で、遺産は文化的・社会的プロセスである。無形性、アイデンティティ、定説（ドグマ）及び神話の複雑な文化的相互作用並びにその遂行と表象は、文化遺産を構成する。表象に象徴的な役割を与え、現代の社会的諸価値、その議論及び願望に意味付けをするのは、日々の文化的プロセスである。

文化遺産と関連付けられた、ソフト・パワーとエリート層由来の歴史観の推進は、現代の社会的・文化的緊張の軽減を試みる。有形・無形文化遺産の持つ意味は、文化的・社会的・政治的なニーズに従って、過去から離れて現在に適合される。文化遺産は、不断に変異する様々なアイデンティティの多文化的表現を帯びた過去と集合的または個人的記憶に訴えるとき、調和の媒体となる。こうしたプロセスを促進する要素は、当該目的に資する施設、公共空間、広場や組織である。

過去と現在を結合することは、文化遺産の性質及び知識の確立と再現方法の解読に資する。個人及び文化的共同体・集団が、それぞれの伝統の中で、また実態では数多くの意味が割り振られるが本来的に不活性な装置（遺跡）の保存を通じて認識されるのは不可避である。

多文化主義

20世紀末期から21世紀の幕開けにかけて、メキシコの文化の多様性は水面下の不調和を保ちながら噴出した。そして、メキシコの領土が多様な文化的エコシステムによって特徴付けられてきたとは言え、不可分の文化やアイデンティティのような概念の使用による単一の文化的関係性の形成の中での集合的記憶の操作に疑問を呈した。

多文化主義をメキシコが採用したことの主要な影響は、文化遺産を過去の遺産として化石化することの放棄であった。最も重要な変異が引き起こされたのは、1972年の世界の文化遺産及び自然遺産の保護に関するUNESCO条約の批准時であり、そこで人類の共通遺産及び無形文化遺産の保護のための条約に関する概念が、我が国の制度に導入された。

このプロセスは、文化の憲法への組み入れによって要約される。多文化主義の採用は、国内で、文化的価値･アイデンティティに関する議論、従ってその検証、更には正当化に関する議論を促す。

かくして、文化遺産の機能は、社会的・文化的プロセスのみならず、多様なアイデンティティの受容、それに対する疑問視、そしてその持続的な適合に由来する社会的緊張を解決するための要素として、とりわけ政治的なプロセスの中で構成される。文化遺産は、多様なアイデンティティの意味と価値の構築に於いて、習慣的な文化的慣行ということになる。

文化遺産の保存を巡る初期の熱意は、有形文化遺産に限定されたが、それは不活性遺産という定説（ドグマ）に基づいていたからである。然るに、多文化主義は、全てを包括した概念の中での遺産の無形と有形の間の相互作用を包摂するとき、この信条の不正確さを明らかにした。このことの証明から、ソフト・パワーが、文化の世襲的プロセスとそれが植え付けられている記念的慣行とを支配する傾向が生じる。

この支配は、結果的に生じるアイデンティティの構築によって、分野としては社会的であるが、種類としてはその特徴が故に政治的要素を帯びる。ソフト・パワーは、特に、記念物及び公共空間などの意味と正当性の際立った重要性並びに記念物等が当該支配と永久に結び付いている記憶と様々なアイデンティティによってこの支配を引き継ぐ。

ソフト・パワーは、文化遺産の不調和の性質のために必要であるが、それは、文化遺産が持つ意味とアイデンティティが過去と現在の衝撃的な事象に直面するからである。変化する政治的・文化的状況の中でアイデンティティと意味の更新を助長するのは、正しくこれらの不一致である。

文化遺産は、そのようにソフト·パワーの源泉となり、また、同パワーは文化遺産を代表し、歴史的でアイデンティティに関わる言説を永遠に紡ぎ出す秀逸さを主張する。しかしながら、このパワーは、アイデンティティの回復要求を同時に正当化するか信頼性を失わせるか、そして記念物、公共空間及び文化財を含めることで、*多様な利害の統一*（*e pluribus unum*）を促す傾向にある。そのことは、パワーの政治的な性格を際立たせることになる。

しかしながら、そのパワーは、国内の不均質な文化的エコシステムの和解、その性質の折り合いと意味に焦点を置くべきである。続くプロセスは、多様な価値、意味及びアイデンティティの度重なる変質、従って、社会の要求に沿うための更新に対して承認を与え続けることを要求する。

多様なアイデンティティは、過去と結び付いた、即ち、過去を総括し正当化する無形・有形文化遺産に結び付いている動的で共時的なプロセスとして分析するのは当然である。その結果は明白である。記憶、定説（ドグマ）及び神話は、文化遺産が不変の構成要素であるという格言を排除し、遺産を強烈な精神力を備えた動的な物とする前提を重視する。

実際のところ、アイデンティティを構成する形式は、文化遺産との繋がりによる正当化を理に叶ったものにして、社会的結果をもたらし、激論の呼び水となる。この活動から頻繁な文化交流が生まれる。

行為即ち表現は、実践的方法で、文化的集団・共同体を国民という概念にも結び付ける一助となる。従って、文化遺産は、定説（ドグマ）と神話のみならず、共有する経験の再構築と記憶にも関係することになる。

記憶、定説（ドグマ）及び神話は、文化遺産の形成プロセスの理解に於いてとりわけ有用な概念であり、そして文化的エコシステムが有形文化遺産を公共空間及び同遺産の文化的表現のための行事と結び付ける方法にとっても同様であることは言を俟たない。

集団や共同体に帰属意識を付与するのは正しく集合的記憶である。文化遺産の概念の中に集合的記憶、定説（ドグマ）と神話を取り入れることで、文化遺産の形成プロセスが獲得するパワーに関する理解が深まる。遺産の観念自体は、意味の創出と付与に結び付いている。文化遺産の表現は、自らの精神的・物理的経験を強調し、文化遺産が不当にその地位を保持するのではなく、公共空間の中で文化遺産保護主義のエポニム（始祖）での出現を公理化する。

こうした表現は、国民的・共同体的な集合の事実を記念することであり、その事実の中で、これらの記念的な価値及び意味は歴史を通じて正当化される。それ故に、アイデンティティに関わる象徴の支配は、ソフト・パワーを補完する力になるが、それだけではなく、文化的経験の枠組み作りを円滑にする。文化遺産の表現は、共同体の社会的結束の重要性を強調し、活性化する機能を有する。この機能の放射状に広がる機能は、一連の共同体の説話、結束及び価値を反射し、再提案または追認することである。従って、ソフト・パワーによる支配の表現が、アイデンティティの意義及び価値の観点から、民族自決の文化的・政治的前提条件として重要であるのは偶然の所産ではない。

文化遺産の表現と公共空間の間の相互作用は、公共空間と結果的にその構成員の社会的特徴を理解するために―文化資産を構成する―多様な価値と意味を有することを積極的に示している。公共空間は、記憶だけでなく、共同体の結束を促し維持する、共有する記憶の創出自体の一助となる。

エピローグ

文化遺産は、多様な価値、意味及びアイデンティティの創出を通じて、過去と現在を両立させる集合的記憶のプロセスである。そして、何よりも、共有する先祖伝来の経験及び革新的な他の経験の鮮烈な創造プロセスを生み出す資産である。

ナショナリズムの現在の概念自体は、エリート層に阻止された民族のアイデンティティ、文化的結束及び象徴が収斂する所に由来する。そしてエリート層は、ナショナリズムに、ハードとソフトの両パワーを強化し、その永続を確保するイデオロギーを植え付ける。

現代に出現したナショナリズム感情は、共同体の知見を混乱させ、その結合を緊張させたグローバル化の現象の相殺によって出現した。この新たな感情は市民権を獲得し、定説（ドグマ）や信条に束縛されていない。従って、国民という概念の説話の変貌は、神話、定説（ドグマ）、記憶、伝統そして象徴の共有及び特有の公共文化の創出によってもたらせるのである。公共文化は、多様な儀式、記念的な行動規範及び象徴の公共政策の中に表現されている。

多文化主義は、日常的な実施の中で過去との対話を可能にするために、途切れのないプロセスに取り込まれた民族の象徴、神話及び記憶を考慮するように、ソフト・パワーに迫ってきた。

V. 情報の役割

コミュニケーションと知識
――フリオ・シェレール＝ガルシアの足跡

フリオ・シェレール=ガルシアの威厳があり厳格な姿は、その印象を強め、時代を超越する。時の経過と共に、彼の足跡は様々な側面で重要性を増し、社会を動かす人々が、自己の利益追求の為に喉から手が出る程欲しい情報提供に於ける刷新と奥深さの点で傑出していたことは疑いがない。より重要視されているが、十分に探求されていない側面の一つは、情報と知識の間の繋がりに関するものである。シェレール=ガルシアは、社会の構築―従って文化の構築―を通じて、如何にして現在から我々の過去に新たな意味を求め、それによって持続性を確保することが可能であるかを、報道関係の自著の序章に記していた。

オルペウス（オルフェ）の神話は、過去の回復を明確に語っている。オルペウスの妻のエウリュディケーは、毒蛇に噛まれて死亡した。伝説の吟遊詩人であったオルペウスは、この不幸を諦めることができず、妻を取り戻すために冥府に降りることを思いつき、ハデスとペルセポネーの王国（冥府）に入り、能力を駆使して妻の奪回を試みた。

ハデスとペルセポネーは、オルペウスに対して、エウリュディケーと共に冥界から完全に抜け出すまでは、決して後ろを振り返ってはならないという条件を付けて、妻を後ろに付けて送った。しかしあと少しで抜け出すところで、オルペウスは妻の姿を見たくなり、後ろを振り返ってしまった。約束を守らなかったオルペウスは、その時まだ光を見ていなかった妻の姿が永久に消えてしまう様子を目の当たりにした。

オルペウスとエウリュディケーの神話は、現在から過去を保護する目的での上述の文化的構築を行うという細心の注意を要する任務を想起させる。しかしながら、権力（パワー）は、自らの政治・社会プロジェクトの作成に必要な文化的構築を行うという特定の目的で、学識との繋がりに腐心する。

記念物の概念

ドン・フリオが抱いていた懸念の一つは、メキシコの政治的・文化的過去に如何にして新たな意味を求めるかに関わっていた。記念物の創作の概念がコミュニケーションに対して有する的確さによって、現在からの過去の永続は、その創作との特別な繋がりを帯びるとする点で、ドン・フリオと筆者は一致していた。

*記念物*及びその保護の概念は西洋に由来し、ルネサンス期のイタリアに端を発している。その歴史は広く知れ渡っている。神聖ローマ帝国皇帝のカール5世は、ブルボン公でフランス元帥であったシャルル3世（1490年～1527年）の指揮下で、ローマの占領を命じたが、1527年のローマ劫掠時に戦死した。

その凶事を念頭に置き、1534年11月28日、アレッサンドロ・ファルネーゼ（1468年～1549年）が、パウルス3世として教皇の地位に就いたとき、碩学の詩人であるジョヴェナーレ・マネッティ（1486年～1553年）をローマの骨董品の専門管理者に任命し、その目的で小勅書を発した。これが、知識の永続化の目的で、文化遺産を保護するために世界的に実施された最初の政策であった。

パウルス3世は、更に、ミケランジェロ（1475年～1564年）に、システィーナ礼拝堂のフレスコ画の制作を依頼した。教皇がミケランジェロの類稀なる才能を高く評価したことは、教皇制の精神的権威とキリスト教世界の首都としてのローマの優位性の確保という極めて政治的な目的に裏打ちされていた。

知識の伝達手段としての記念物の保護は、啓蒙主義と共に再び重要性を帯びるようになった。実際、この場合には、フランス人考古学者のマリー＝アレクサンドル・ルノワール（1761年～1839年）とカトリック司教のアンリ・グレゴワール（1750年～1831年）によって推進されたフランス革命の文化擁護思想の一つであった。因みに、グレゴワールの友人には、メキシコ人聖職者で、独立のために戦ったセルバンド=テレサ・デ=ミエル師（1765年～1827年）がいて、パリの聖トマス・アクィナス教会の管理責任者であった。

フランスの文化擁護主義に魅了されたメキシコのクリオージョ達〔訳注：西領アメリカ生まれのスペイン人〕は、その主張を構想中の国民的言説に適応させる政治的利便性を直ちに理解した。そして、1827年11月に実施され、19世紀中効力があった関税改正を通じて、メキシコの骨董品及び記念物の輸出を禁止する、国の最初の文化遺産保護命令を公布した。

啓蒙主義的主張の我が国の司法制度への編入の原点はこのようなものであったが、今日まで幾多の障害物に遭い、挫折を経てきた。

伝達手段としての記念物に関する西洋の概念の本質は、20世紀になって、1931年の第1回歴史記念建造物関係建築家技術者国際会議で採択された、歴史的建造物の保存・修復に関する原則であるアテネ憲章で最初の普遍的な表現を得たと言えよう。

その時以来、記念物は歴史認識が浸透した集合財としての重要性を帯びるに至った。アリストテレスの質量形相論は、相関要素としての形相（理念）と質料の間の関連性を説明しており、それは、記念物に関する新たな概念形成に於ける言説と質料の間の調和を支えるものである（François Dagongnet）。

アテネ憲章は、記念物に声を与えて、記念物がその意義を確実に保つためのプロセスの始まりである。意味と指し示す物の間の共生が出現するのは、マヤ固有の石碑への記録である。マヤ族は、考えを写本や石に刻み込んだ。石碑の社会的機能は、集合的記憶の継承の明白な証拠である、家系図を通じての社会的な追加と帰属意識であった。

しかしながら、記念物は、記録に基づく性質も兼ね備えている。即ち、メキシコの考古学遺跡―例を挙げれば、チチェン・イツァーまたはテオティワカン―は、記念物の総体としてだけでなく、先祖伝来の多様な意味に富んだ説話を備えた物として、もしくは、最終的には信仰と崇敬のセンターとして考えられている。

この記録に基づく側面は、素人の目には届かないものであり、綿密な学識豊かなアプローチを必要とする。その目的は明白である。記念物に触れるためではなく、解読するために創造の神としての記念物を分析することである（Pierre Nora）。

記録に基づく特有な側面には、審美的側面及び当然ながら意味も付加する必要がある。従って、記念物として残すことは、記念物を集合的記憶の手段と見做すために、記念物の特有な側面の一つを優越させることを意味する。そして、記念物の美的・歴史的・追悼的価値が、実際に公益と見做されるように混合しているのは、記念物の保護という観点での法的表現、そして形式的変化が優れた目的に適っている所である。金言は紛れもない。継承するためには保存が不可欠である。

エピローグ

記念物は時との出会いを内包する。そして、時を支配し、未来を現在と両立させる空間である。この概念は、原初的経験を集合的に継承し、それによって世代間の対話に道を開く能力の向上を可能にする（Régis Debray）。

記念物、特にメキシコの場合では先コロンブス期の記念物は、時の経過と共に忘却の道を進むが、知識の所持者で伝達者としての適切さにより記念物を救出するのは、集合的記憶である。文化は記念物の修復、更には再統合の方向性を示す物である。

メキシコ社会では、特に、現実または神話的催事の祈願・記念用の構築物に関しては、記念物自体より、記念物の持つ価値が重視されてきた点に於いて、筆者はフリオ・シェレール=ガルシアと合意するに至った。官僚主導の式典は儀式を繰り返し履行し、後世の人々への継承を懸命に訴え掛ける。それによって、市民社会より政治権力の優位性が示されたことで、市民と市民の士気は社会の隅に追いやられ、等閑視されている状況である。

記念祭への権力の参加は、権力の行為と政治的遍在の外見を呈することになるが、共和国への信奉を表明する行為でもある。

ドン・フリオとの議論の中で筆者が得た基本的な結論の一つは、メキシコでは、知識の継承の代わりに、政治的コミュニケーションが優越してきたということである。

紛れもない自由の象徴としての　フリオ・シェレール=ガルシア

1787年6月4日、アカデミー・フランセーズへの入会演説の中で、歴史家で詩人のクロード=カルロマン・ド=リュリエール（1735年～1791年）は、当時既に決定的な影響力を持ち、今日も存続している概念の一つである世論という帝国を紹介した。

リュリエールの辛辣な批判は、言うのも憚れる宮廷作家たちに焦点を合わせていたが、そうした作家たちは、君主のご機嫌取りのためなら、滑稽でも悲壮でもなりふり構わず取り上げていた。かかる状況を目の当たりにして、リュリエールは、より広い意味での、文士の尊厳に関する画期的な概念を回復した。

強調しておく必要がある。文士たちが世論を形成させたのではなく、世論が博識な個々人を生んだのでもない。しかしながら、博識な個々人と世論の間には、明白な共生が存在していた。リュリエールの主張は、作家と知識人による執筆活動は、楽しむため以上に教える目的を持つべきであるというものであった。

啓蒙の世紀には、ヴォルテールの思想は先見性があると考えられたが、それは、その歴史的・社会政治的・哲学的主張が、政治的平等の思想、即ち、アンシャン・レジームの諸身分の撤廃と見做された概念に基づいていたからである。ヴォルテールの論述に従うと、権力と対決できるのは啓発的で理路整然とした普遍的な理性であった。従って、国家（*res pública*）の軸は、説教職と王家から文士へと、しかし世俗的な性格を携えて移動した。

その結果、ドゥニ・ディドロ（1713年～1784年）、ジャン=ル=ロン・ダランベール（1717年～1783年）及びフリードリヒ＝メルヒオール・バロン=フォン=グリム（1723年～1807年）等の作家及び知識人へのヨーロッパの君主達による訪問の儀式が、最初は密かに、後には公然と、臆面もなく、待ち焦がれた好意的な反応や賛辞を求めて始まった。因みに、その儀式は現在まで続いている。

世紀が過ぎて行くに連れ、世論は民意の萌芽となったと言えよう。民意と、個々人の意見と民意の統合との区別を現代に於いて行うのは、フランスの政治学者で法学者のジョルジュ・ブルドーの役目であったと言えよう（Jean Marie Denquin）。

メキシコに目を向けてみよう。ドン・フリオは、メキシコの主要日刊紙の一つである『エクセルシオール』紙（*Excélsior*）の編集長に就任してから、啓蒙時代の伝統を回復し、その後、自ら創刊した週刊誌『プロセソ』（*Proceso*）に活動の場を移してからもその伝統を継続した。同紙は、20世紀後半から21世紀初頭にかけて頻発した隷属的なジャーナリズムとは一線を画した点で際立った存在であった。

その立ち位置から、メキシコの批判的ジャーナリズム報道は、唯々諾々の状態から政治的平等へと移動したが、その変化は独立と自治を通じて獲得した。そのためには、媚びへつらう卑劣と弁明を放棄する必要があった。

シェレール=ガルシアの報道に対する姿勢は、大胆な手法の使用と優れて現実重視として表現されることが多かった。この自由の解放を反権力として展開した。この叙事詩の中で、ドン・フリオは、象徴的で政治的な内容溢れる報道の自由の中心となった。

それ以降、文士と権力の中心人物は、仲間内で同時に国家（*res pública*）の運営を担うことになった。結果として、社会に強烈な苦痛が生まれたことで、世論は自らの機能を回復した。

その効果は極めて重要である。公的空間では、政治的自由が、我が国では文化への自由で民主的なアクセスを特徴とする文化的平等に先行した。

20世紀の後半にメキシコの世論が新たに出現したのは、その運動が契機となった。シェレール・ガルシア率いる『エクセルシオール』紙で、メキシコは、ダニエル・コシオ=ビジェガスやガストン・ガルシア=カントゥ等の巨匠による峻烈な批判の出現を目の当たりにしたが、彼らの著述は当時の権力を大いに苛立たせた。オクタビオ・パスには、国内の出版社間の激しい対立にも拘らず、文芸誌『プルラル』(*Plural*) 創刊の道が開かれた。

この国の政治権力は、報道に関する新たな枠組みを推進する能力も意思も持っていなかった。*石化した以前の状態*（*status quo ante*）は、ドン・フリオが推進した自由主義の報道モデルの性質を民主的に同化させるには特に不向きであった。むしろ、権威主義的権力は—自らの規範の中に引きこもり、唯一の言語表現を翳しながら—伝統的な手法である検閲、嫌がらせ及びドン・フリオの指揮下での印刷媒体に対する弾圧を仕掛けた。即時の影響は資金調達の困難であった。

この嫌がらせはメキシコで顕著な現象であったが、政府内で高給の地位を享受していた知識人達は好意的な沈黙を守り、動揺や憤慨は微塵もなく容認した。

報道活動を全面的に展開しながら、ドン・フリオは、独立した自由なジャーナリズムを急速に具現し、世論の正当な代弁者の一人となった。ドン・フリオは、自らの破壊的で解放的なスタイルの運動の持つプロメテウス（先見性）効果を自覚していた。この枠組みは、自由の飽くなき追求と公共空間の閉鎖によって表される弁証法的衝突の結果的な統合（ジンテーゼ）の一つである。

『プロセソ』誌にも見られる政治的風刺の推進者として、ドン・フリオは、背教的な魅了と崇拝の間、聖像破壊運動と信仰心の間の明確な相違の中に、当該誌固有の適度の不敬を表現して、政治的風刺の根拠を位置付けた。崇拝と信仰心といえば、国内のジャーナリズムにより積極的に受容されていたものであった。その時以来、政治家達と固定観念化した規範への偏執からは、神秘性が取り除かれ、パロディー化が必然となって来ている。

シェレール=ガルシアの著書の中では、経験した記憶は霞むが、フランスの哲学者ジャン・ボードリヤール（1929年～2007年）の至言を借りれば、当該記憶は、それ自体がシェレール・ガルシアの公的生活の筋立てである。彼の目的は明白であった。語り得ない事柄を執筆することである。執筆された文章は、メキシコの歴史にはドキュメンタリーの効果を、我々の社会には教育的な効果をもたらすのは言を俟たない。そしてそれ自体でメキシコの文化遺産の一部を構成している。

ドン・フリオと共に、国民の集合的記憶の否定できない部分を構成するメキシコのジャーナリズムの歴史は一つの時代の幕を下ろした。彼の著作は、19世紀のメキシコの報道の最良の伝統の中に刻み込まれ、*黒魔術師*（*El Nigromante*）ことイグナシオ・ラミレス（1818年～1879年）、当時の流行に倣って*プロスペロ*（*Próspero*）のペンネームで、『エル・コレーオ・デ・メヒコ』（*El Correo de México*）紙に寄稿していたイグナシオ=マヌエル・アルタミラノ（1834年～1893年）、フィデルことギジェルモ・プリエト（1818年～1897年）、アルフレド・チャベロ（1841年～1906年）及びボニファシオことマヌエル・ペレド（1830年～1890年）といった当時のフアレス大統領と対立関係にあった知識人たちの精神と共闘する。

実直にして高潔なシェレール・ガルシアは、19世紀に同等の役割を果たしていたアルタミラノのように厳格さを顕示し、使い古しのタイプライターが自慢の種であった。

寄せられた賛辞はドン・フリオの足跡を世間に広め、既成の秩序の中に自由の空間を拓いた功績にも及ぶ。ドン・フリオは、メキシコの社会で存続して正当化されるこの空間―権力から奪取した―の中で長く記憶される。

ドン・フリオは、批判的であり、権力の側から仕組まれる贈賄と脅迫の度重なる目論見を拒絶する主義主張に忠実な報道原則を作り出した。

ドン・フリオのイデオロギーは、急進的な動きを示すこともあれば、沈殿したかのように不動の場合もあるので、思想的な輪郭をはっきり描くことは困難である。とは言え、メキシコの歴史科学に於ける彼の思想的中心性によって、国民の集合的記憶の中に留まることは確実である。

晩年の遺言条項の中で、フリオ・シェレール=ガルシアは、倫理的ジャーナリズムの運動により勝ち得た自由の公共空間の保護の重要性を確言した。

独立200周年：権力と記念祝賀行事

政府による独立記念祭は、今や、政治的にも学識的にも、また報道の媒体を駆使した官製の方法で仕切られている。しかしながら、記念祭はそのようなものとして存在するのではない。国の歴史を織り成す多くの場面に意義を与えて来た様々な言説の中で、最も重要なものは社会構築である。歴史には、アイデンティティ及び市民教育に関する言明を大胆に形成する目的での過去の経験が関係付けられており、そのことが社会的構築に重要な影響を与える。

共和国の儀式は、市民教育的・政治的・文化的事象を象徴的に凝縮する。そうした事象の中では、現在の多種多様な不安と理想が混合し、要約される。この伝統によって、権力は、国民のアイデンティティの構成要素の価値を再評価することが可能になった。

独立記念祭は、国の政治的近代性に係る重要な出来事の一つとして、メキシコの国家の創設を盛大に祝う趣旨の下で国内に遍在するものである。実際、支配的政治勢力に同調する人々を糾合し、民族主義的感情を掻き立てることを可能にする事象であり、その主要な効果は、国民を擁護称賛しながら社会団結の基礎を築くことである。

この記念祭の性質は、文化的行為として、市民教育的・社会的・政治的儀式に於いて、また、精神浄化作用としての安らぎに縋って栄光と悲惨とに係る国民的事象を称賛することに於いて、集合的記憶の最も的確な例である。

こうした社会構築を実施することで、新たな社会秩序の受容と共有を意図する言説を展開する。そして—強調が必要であるが—その言説の中では、記念祭を支える出来事を優先する状況が垣間見える。社会的な条件付けは、このプロセスに於いては極めて明白である。歴史上の挿話が記念すべきものと見做されるためには、そこに瑕疵があってはならないからである。

全ての記念祭にあるように、メキシコの場合も統合と分裂の両要素を伴う。そのことは、共同体のアイデンティティが、元来、物議を醸している状況を呈していることから説明が付く。記念祭は、政治的アイデンティティと正当化を明確にするのに役立つ一方で、社会的な緊張や対立の存在も明らかにする。

支配エリートにとっては、現在の社会的構築は、―願わくは、有効であると付言できたらであるが―自らの政治遺産の重要な部分を占める権力の一手段である。このように、過去の解釈は、自由を最大限に保証することで、基本的な国民的諸価値の確保を意図する政治エリートが自らの正当化のために用いている。

メキシコ社会の基礎を構成するものは、これらの価値に他ならない。それらの遵守は、国民の統合と帰属を表す要素である。従って、このアイデンティティの力は、国民社会の中で固有の存在を要求する。

記念の起源は宗教にある。*記念祭*を意味する*"commemoratio"*（ラテン語の単語）に語源が求められ、そこでは天国の浄福者（清められて幸福になった人間）を想起することが極めて重要となる。その概念の世俗化は、支配エリートに、公的空間で政治的に効率よく、国民感情を国の神聖化のような価値とまぜこぜにすることを可能にする。感情と価値の2項式は、支配層の道徳的権威を再確認し、社会、とりわけメキシコの若者に対する理想を構築し、礼節を鼓舞する主要な効果を持つ。

独立記念に言及する注目すべき祝賀行事には多種多様の言説が結集するが、そのことは、集合的記憶の機能が、支配的共同体だけでなく少数派の集団に対しても、アイデンティティの形成プロセスに於いて本質的要素であることを示す。

慣　例

集合的記憶は過去との絆を含んでおり、記念祭はその当然の手段として機能する。集合的記憶は、記念行事と同様に、歴史ではなく、また、その真実性を保証するものですらない。共和国の慣例は、このように時間の観念を超越している。

記憶の社会的機能は、現実の識別でも過去の解読でもなく、アイデンティティ創出の永続的プロセスに於ける社会構築の推進と現在でのその再確認である。従って、集合的記憶は、アイデンティティの永続性を強固にし、現在催される記念祭では、国立墓地に埋葬された国の解放者の偉業を称える常に万能な格言風のアイコン（図像）の中に挿入される。

このように、歴史上のアイコンの性質は、国民のアイデンティティの土台作りための自明の名士に変容する。国民的アイコンの不確かさが証明されるのは、「メキシコ独立の父」と称されているミゲル・イダルゴへの評価が、率いていた運動の反乱・大衆的性質のために、後年の大統領で独裁者であったポルフィリオ・ディアス政権時には、疎まれた解放者として冷遇され続けた点にある。

集合的記憶は、このように、過去と現在を両立させる。現在は、最終的には、再構築され神聖化された過去となる。記憶と公的言説の間の絆が解消されないことは、結果的には記念の政治的表現になる。更には、エリートによる我々国民の過去の利用は、現在の政治的言説の解明を可能にする。歴史が提案し、現在が準備すると言う至言が示すとおりである（Pierre Nora）。

過去を記念する儀式尊重は国民の時空を神聖化する。この公理は、1911年9月に作家のヘナロ・ガルシアの編集の下で作成された『メキシコ独立100周年祭の公式年代記』の中に一目瞭然に示されている。この作品は、同記念祭の歴史的詳細を見事に記したものであるが、同時に、祝賀行事の追憶は、後世にまで伝えられるべきである等の過剰な野望は、ポルフィリオ・ディアスの独裁の極みの所産であったことも指摘される。

エピローグ

全ての国民は、栄光という鏡の中に身を映し、自らの偉業を称える必要性を有する。そこから神話の機能の一つが派生する。我が国で行われる記念行事に於いては、共和国の儀式が、全ての国民を統合するための愛国心を吹き込もうとして止まない歴史解釈である。

結論は明白である。記念行事は、国民が過去の栄光を誇りに思い、アイデンティティの回復と政治的主張の誘導を可能にする国民の儀式への手段である。この政治的・象徴的儀式は、国民社会の創設に関する重要な祝賀行事を表している。それは、過去の永続というよりは、むしろ現在の権力の肯定である。更に、社会の全ての領域に対して、この社会構築の意義を巡る議論を可能にする。

幾多の変遷を経て、国民に共感し、帰属意識の芽生えを促す役割を果たすのは、メキシコの社会である。アイデンティティという現象は、広い意味では政治的であるが、社会的な要素も含んでいる。

多文化主義はメキシコの異質性を浮き彫りにした。20世紀を通じて一貫して政治エリートによる権力の頂点から押しつけられた単一国民文化の優勢は、多様な文化的表現と帰属意識が開花するのは多数の共同体であるという証拠を前に消失した。

メキシコの異質な諸文化は、国民的アイデンティティの包括的な概念の中で調和するので、上述の文化的・共同体的・歴史的想定は、同文化の持つ複雑性という一見アポリア（解決が困難な）と思しき難事の解明が必要である。現代の挑戦は、この文化的ポリフォニー（対位法）の上に国民のアイデンティティを築くことである。

ヨーロッパ由来の文化的カテゴリーは、今や、メキシコの共同体の象徴に相当する真に国民的な文化的カテゴリーによって取って代わられている。この社会的構築の側面はそうした特徴を有する。

VI. 違法性との戦い

文化財の迷走する来歴

2005年、ロンドンのクリスティーズで、玉髄——石英にモガン石が合わさった（二酸化ケイ素の）鉱物——に彫られた小さな女性の肖像が、約11万9千ドルで落札された。その出品物は、穏やかな眼差しをして、豊かな髪をティアラで飾った高貴な女性の横顔を極めて細密に描いたものである。

そのオークション会社のカタログには、詳細を明らかにせずに、当該出品物の製作は18世紀に遡ると記載されていた。程なく、その作品は、ニューヨークのサザビーズで、先のロンドンでの落札価格の10倍の価格に相当する96万2,500ドルで落札された。カタログには、2世紀の古代ギリシア・ローマ期に属する本物の骨董品として記載されていた。

しかしながら、今やニューヨークのサザビーズで商業化されたこの作品を始め他の多くの作品にあるとされる特徴は、所謂「休眠骨董品」（James Marrone & Silvia Beltrametti）に関する議論を呼び起こした。尚、同骨董品には直売時と後の転売時に特質を付けられ、固有の個性が急激に崩されるために、価値に大幅な変更が生じる。

そのような状況にあっては、査定が当初の「古物」から「骨董品」に変貌するため、文化財の変異は明々白々である。とは言え、法的な意味での結果は本質的である。性質の変化をもたらす変貌は、実際には、異なった法制度の下に置かれることを意味する。

来　歴

文化財の商業化に於ける重大な岐路の一つは、その査定である。そのための分析の要素は、創作した芸術家、場所、時期、来歴等であるが、最後の来歴は、この種の物品の特殊性が付加されていくプロセスの中での中核を成す部分の一つである。

そうした状況に於いて、来歴とは、是認する証拠を伴うかそうでないか、もしくは、歴史、科学または当該品の合法性を通じて同定が可能である作品の起源に関する情報として提供されるものとして、直売時での特異性を付与するものと理解される（Marie Cornu）。

この種の物品の古さと真贋の判定技術は、当該物品に特有の意味を与え、美術史等に関する広い範囲の中で評価される。

放射性炭素分析による年代測定方法は有機物の年代推定に有用であり、他方、同位体分析は有機物の地理的起源の推定に重宝する。また、木製品の場合には、年輪年代学に基づいて行う。熱ルミネセンスは、陶器の年代測定には不可欠であり、絵画の場合は、顔料の精密な分析に掛けられる。

そうした技術は重要な証拠をもたらすが､反論できないものではない。その一つの証は、カリフォルニア州のマリブ博物館に展示されている有名な青年のクーロス像であるが、堂々たる若者の大理石像であり、作者と名称は依然として謎に包まれている（James Marrone & Silvia Beltrametti）。

文化財の由来に関する疑念は頻発し、その理由も多い。一方で、専門家による査定にばらつきが見られることもあり、重要な情報の欠如のために、後の取得情報、情報の意図的隠蔽（法的文献の中では「開示欠如」として知られる）または不正行為の共謀を前に、最初の鑑定書と矛盾する場合もある。

上記の情報の意図的隠蔽及び不正行為の共謀は最も憂慮すべき仮説であるが、それは文化遺産を保護する国内外の法律を回避する口実となっている。

最終局面は過酷である。来歴に関する調査は、当該品の所有者または以前の所有者達を確定するが、それは、所有者達が物品の以降の所有の流れを証明する文書の提示が必要となることを想定する。しかしながら、国際的な承認を得ている、来歴解析に関する系統的な方法論に裏付けられた調査研究の欠如という現実がある。

従って､来歴情報の付与の持つ重要性を強調することは､控え目に言っ

ても明白なことであり、それは普遍的な知識への貢献になるからだけでなく、売買の合法性を正当化する点で有用である事にも依拠するからである。

市　場

休眠文化財の変質と来歴の再割り振りの結果は､多様で大規模に及ぶ。従って、分析の境界線を、来歴と合法性の間の、そして来歴と市場価格の間の明白な関係までに拡張する必要がある。

これらの関係の存在が、最初に「古物」、後に「骨董品」と分類される文化財に、不正確な特徴付けを行う事実がもたらす影響に関する激論の引き金になるのは不可避である。「骨董品」は、最近の不正発掘によるものではないことを間違いなく証明する、当該物品の商業化に対する広範な要件を満たす必要がある。

合法性に基づく市場の構造に対応する分析には、これまで様々なアプローチがあった。疑問点は言わずもがなであり、「来歴の市場への影響とは何か」に尽きる。一方で、市場は、来歴の正確な証明による追加料金を支払うという主張がある。他方、購入者は来歴の綿密な証明への配慮をしないことが、実証的分析によって指摘される。かかる状況は、国際美術品市場が自動調整メカニズムを欠いていることを裏付けする。

しかしながら、実証的分析は、先コロンブス期の文化財のように、分割されている状況が孕む多大な困難に由来する、ロットでの文化財の売り出しの複雑さを前に、揺らいでいる。

「デューデリジェンス」（正当な注意）

文化財取引に係る「デューデリジェンス」という概念は、1995年6月の「盗取または不法に輸出された文化財に関する条約」(Unidroit条約)によって初めて国際法に導入された。このメカニズムは、売買が公表されている間の購入者の行動を評価するものであり、不正取引由来の文化財の請求を巡る裁判を回避するだけでなく、全ての文化財の真贋判定と来歴付与の決定でも極めて重要である。しかしながら､「デューデリジェンス」は、文化財の真贋検査のための一つの方法であるというよりは、その合法性を決定する上で有用である（Marie Cornu）。

この慣行は国際美術品市場では根本的である。他方、十分な透明性がないことは、オークション会社を中心とする取引での主役による、このメカニズムの徹底的な使用の拒絶である。オークション会社が用いる契約条件を一瞥するだけで、責任の拡大を理解するための本質的な要素の分析に提供することが理解される。

この契約上の慣行に関する法制度は委託制度であり、そこではオークション会社には、受託者に購入者と法的に約束をさせる十分な権限を有するが、その際、何らの責任を負わないという内容である。

このスキーム（枠組み）では、有効な契約関係が受託人と購入者の間で成立し、同関係では、オークション会社は完全に無関係な側ではあるが、文化財の来歴の付与と価格のような販売用カタログへの掲載条件に関する意思決定に関しては、断固たる自由裁量で行動する。

オークション会社に受託者としての役割を期待するのはお門違いであり、また、出品物の来歴が商取引の根拠となるとき、当該物品の来歴の不正確な付与に対して会社が何らかの責任を負うことは、尚更異例な対応である。しかしながら、受託者の概念の下でのオークション会社の責任を求める声は、国際的に高まり始めている。

商業化にはカタログは必要不可欠となる。オークションハウスは、来歴の付与の証拠を提供し、客は文化財と結び付いた言説を渇望しており、潜在的な購入者の好奇心をそそるものなら尚更のことである。

オークション会社は、他社による直売品の委託が、転売の合法性の強化に資する場合でも、かかる委託品を自社のカタログに掲載しない（原文は省略する）のが一般的である。その目的は明白である。潜在的購入者に「デューデリジェンス」の行使を委ねることである（James Marrone & Silvia Beltrametti）。

ところが、受託者の期待は異なっている。受託者は、文化財の合法的な所有権と価値等を十分な根拠に基づいた方法で決定する明白で専門的なサービスを信頼する。オークション会社の鑑定を信頼しており、会社が自社の専門家の提言に基づき行動したことの立証は、受託者の役目である。

「デューデリジェンス」の不実施は、市場のルールは、残余価額を有する物品を「デューデリジェンス」の適用外に置くという様々な理由で、国際美術品市場に深刻な欠陥を引き起こす。その一例を挙げると、ビノシュ・エ・ジクエロ社のコレクションである、紀元前100年から紀元250年の間の原古典期に属する男性像が、2020年3月に競売に掛けられた。出品物の価値がその返還請求を不可能にしたことは明白である。

しかしながら、この主張は、当初古物として出品される休眠文化財の商業化でよくなされている。こうした場合には、来歴の調査は非常に限定的か皆無の状態である。

他方、休眠文化財の当初の残余価額での出品は、市場自体によって否認される場合もある。大理石の台座に胸部が嵌め込まれ台石の上に載せられた、王冠をかぶったローマ皇帝アウグストゥスの肖像は、2005年4月19日にロンドンのクリスティーズに於いて、5千ポンドで出品され、11万4千ポンドという圧倒的な高値で落札された。

エピローグ

休眠文化財の商業化は懸念事項と化しつつある。行われた分析は、市場が情報隠蔽を助長し、更に悪いことには、来歴の付与と「デューデリジェンス」の実施に於いて掛かった費用を負担しないと結論付けている。結果は明白である。物品の情報を隠蔽して市場に導入することで、文化遺産を保護する制度から当該物品が合法的に外される。

オークション会社は、市場では顕著な優位性を誇っており、この種の財が辿る道筋を決める役割を担うが、何らの責任を負うことはない。目先の強い経済的利益のために必然的に結成されたエリート集団は、十分な訓練も受けず適性を欠いている状態でありながら、真贋確認と評価に関する熟達ぶりを豪語する。

倫理規定は、市場での主役達の大半の意見を取り入れて作られており、拘束力がなければ、所詮、一連の善意の意図の提示でしかない。自主規制のメカニズムの欠如を前に、国際美術品市場の透明性を確保する裁定の採用に関して熟考の必要がある。

文化財の略奪

本項「文化財の略奪」及び次項の「法律の中での文化の挑戦」は、著者が雑誌『プロセソ』の文化ジャーナリスト、フディット・アマドール=テジョ女史のインタビューのもと、同誌に掲載されたものである。著者はある「意図性」を持って、本書への再録を試みたと思われる。(訳者)

国際法の専門家であるホルヘ・サンチェス=コルデロにとって、文化財の不正取引は極めて煩雑なテーマである。新型コロナウイルス感染症のパンデミックによって、フランスを中心とする世界でのオークションが激増したが、メキシコの被害は甚大であった。しかしながら、不正取引の最大の発生源はアメリカ合衆国であると明言し、「悪玉の全部が全部パリではないし、オークションだけでもないのだよ」と述べた。

常任寄稿者である『プロセソ』によるインタビューの中で、パンテオン・アッサス大学（パリ第2大学）で法学博士号を取得したサンチェス=コルデロは、自らが総会の議長を務める私法統一国際協会（Unidroit）のこれまでの成果を評価する中で、同機関及び国際連合教育科学文化機関（UNESCO）第16回総会で採択された「文化財不法輸出入等禁止条約」自体の限界を明らかにし、「最初から状況は機関としての能力を上回るものであった」と述べ、Unidroit自体が、上述のUNESCO条約を神聖化し、条約締約国による署名または批准を妨げないように内容の修正を控えたと続けた。

『メキシコ文化の機能不全 パンデミック・T-MEC・文化財』（邦題）等の著者は、Unidroitが—文化財の原産国への返還のために—1980年代より取り組んできた決議は、国際連合（UN）総会によって再確認されたと語る。そして、同決議は、過日、メキシコ政府によって採択され、「連邦官報」に掲載された。

サンチェス=コルデロは、26年前に開始し、従来、美術品密売人にとっては天国であった国々の政府によって当初は拒絶されたこの秘密を、電話でのインタビューで詳らかにしながら、当該条約は、不正取引に対する戦いに於いて国家の覇権を奪い、個人蒐集家が盗取された所有美術品の返還を求めて争うことを可能にすることで、「自由の領域」を切り開いたと示した。

国家と一般人

現代史の中での文化財の重大な盗取の一例として、「枚挙に遑がない程の論評がなされている」*禁断芸術*（*verbotene Kunst*）と遺産の破壊を伴う、第二次世界大戦中にナチスによって遂行された犯罪をサンチェス=コルデロは想起する。ドイツは、その結果として、芸術の自由の保護を最高の規範としてドイツ基本法（憲法）に盛り込む決定を下した。そして、「武力紛争の際の文化財の保護」に関する「1954年の条約」を公示した。

サンチェス=コルデロにとって同条約は本質的な存在であるが、それは、文化財の概念を導入したものであり、そして、占領地からの文化財の輸出を防ぎ、国外に持ち出された場合はその返還を要求するための第一議定書が付随していたからである。同議定書は、1999年に採択された第二議定書によって内容が強化された。

時が経つにつれて、メキシコとペルーは、「一貫した略奪に晒されている」自国の文化遺産を国際的に保護する必要性を感じるようになった。専門家はこう述べ、続ける。両国は、特に考古学遺産の「不正取引の当然の目標」であったので、この問題については特別に関心があった。

それから両国は、不正取引の様々な抑制メカニズムの推進をすべく、UNESCOで要請を行った。それが契機になり、文化財の不法な輸入、輸出及び所有権移転を禁止し及び防止する手段に関する1970年のUNESCO条約として結実した原案が正式に発動した。

同条約が平時に於ける不正取引の規制の屋台骨であることを指摘した後に、サンチェス=コルデロは、当該条約の採択のために、米国の参加を説得することをはじめとしてメキシコが直面した様々な試練について語った。
「マスコミにとっては話題性の高いパリでのオークションの場合とは異なり、本当に重要な不正取引は米国で発生している事実を押さえておくことは重要だ。米国には、サザビーズやクリスティーズの競売品があり、私はその都度（『プロセソ』の記事の中で）書いている」と強調した。

そのために、メキシコは、北の隣国（米国）を交渉のテーブルに着かせて、不正取引の問題解決のために全力を傾けて欲しかったが、「正に米国流のやり方でね、1970年のUNESCO条約の採択の一歩手前であったとき、米国は数ヶ月前に当該条約の新たな本文を提示してこう言ったのだよ。「その本文でなければ我々は交渉のテーブルから去る」つまり、それで採択するか、米国は離脱するかの二択でね。」
「その姿勢は、国際社会に驚きと多大な混乱をもたらした。メキシコは反発してこう言った。いや、もし米国が交渉のテーブルを離れるのなら、我が国は、文化遺産の重要な輸出国、原産国と共に交渉の場に残る。米国案のような内容なら、条約として一体何の意味があろうか。」
（ここでサンチェス=コルデロは「輸出」の意味を明確にする。遺産を「輸出」する国と「輸入」する国があるという意味ではなく、現実には不正取引は一般人の間で行われていることを指す。文化遺産を奪われた所有者、我が国の場合はメキシコ国家と、片や、善意で購入することができたか、または善意ではなかった購入者である「第三者の取得者」がいる。）

条約には当初から問題が山積していたが、サンチェス=コルデロの言を借りると、最も重要なものの一つは、文化財の返還についてであり、次のように説明する。ある国が自国の遺産の返還請求をしようとする場合、1970年のUNESCO条約に拠れば、当該文化財が存在する国の管轄に赴き、その法律に従い、自国の領土から不正に盗取されたことを証明する必要がある。
「かかる状況は返還を無効にしていた。また、1970年の条約のもう一つの特徴は、国家間だけに効力があり、外交ルートが優先されていたことである。」

このように、メキシコがある文化財の返還請求をすると、UNESCOは国家間の原則を適用する。当該文化財が存在する国は、メキシコの法律とは異なる法律があり、所有者の一般人は国内法で保護されているので、同文化財の返還を強制することはできない。

要するに、返還に関する第７条IIが無効化されたと指摘する。

「不正取引が続いたのは言を俟たない。不正取引を規制するか、少なくとも規準を確立する優れた条約として有望視されたものは、我々が望んでいた結果をもたらさなかった。しかし、UNESCOは固執し、締約国に批准を要請し始めたが、当該条約は脚を酷く曳いている状態であり…返還は重大なアキレス腱であることを知っていた。」

返還は条約の成否の要であるので、返還が盛り込まれない場合は条約として全く意味をなさなかった。しかし、UNESCOは、締約国に批准を働きかける一方で、舌の根も乾かぬうちに条約の修正または改正を求めるのは体裁が悪いだろうと判断し、妥協点を「（締約国に対し）意見の擦り合わせをした上で、批准の開始状況を知らせて下さい」という表現に留めた。

サンチェス=コルデロ博士は、「不正取引は、文化遺産を奪われた所有者である国家と、片や、善意で購入したにしろ、そうでなかったにしろ、自国の法律の下で購入したと主張する第三者の取得者との間の対立であると明確化する。対立が国家間ではなく、一般人間であることを（UNESCOの立場とは異なり）認識した上で、両者間のこの対立を国際的に解決するか、またはそのための規範を整えるか、誰がそんなことができたであろう」と問いかけ、メキシコという国が当該文化財の輸出に注力しているのではない。ドイツも、米国も、フランスも、ネーデルラントやスイスという国が輸入に奔走しているのではなく、「上記の状況を作り出しているのは一般人なのだよ」と主張する。

新たな仲介役

正に、その背景の中で、様々な国際的モデル、協定及び条約を通じて、また多様な観点から、売り手と買い手、譲渡人と取得者の間での契約関係に由来する対立を解決するための専門機関であるUnidroit―ローマに本部を置く―が招集された。UNESCOからは、財の返還に関する第７条IIの解決を求められた。

当時、サンチェス=コルデロは、既に、Unidroitの理事会のメンバーであった。他のメンバーからは、「ホルへ、これは君向けのテーマだよ。君は不正取引が周知の国の出身なのだから、大いに関心はあるよね。」と言われた。そして、実際に、この種の条約を展開させることにとても関心があったことを示した。

1980年代以降、売り手と買い手の間で合意を取り付ける目的で、両者間の関係を模索する方法論の確立に向けて動き始めた。サンチェス=コルデロは、所謂「輸出」国と「輸入」国を取り上げて、それぞれ「原産」国と「仕向け」国と呼ぶことに決定し、150から200項目が集まったが、仕向け国の多数はそれに関する議論を望まなかったので除外して行った。

最終的に、国際条約を構築する目的で、20項目を盛り込んだ原案のためのコンセンサスを得ることができた。内容を改善してメンバー諸国に働きかけをしつつ、規則に手直しを施し、この種の法律文書が必要とする外交上の時間に常に—サンチェス=コルデロは強調して—配慮しつつ、再度判断を仰ぎ、最終的に1995年に条約の最終的な形を定めることができた。

そして外交会議が招集され、メキシコは当然出席した。サンチェス=コルデロはUnidroitの副議長として臨み、文書は全体として採択された。達成のための取り組みを誇りに思い、3週間で作成した1970年のUNESCO条約とは異なり、Unidroitの条約は、法的な曖昧さがなく、良くできており、更には「フランス語と英語で執筆された条文は洗練されている」と力説した。また、Unidroit要約には「バベルの塔」状況を作り出さないために、UNESCOの「文化財の」概念が盛り込まれた。

国際的には、文化財の全ての盗取は処罰されるべきであるという確信が存在することから、盗取文化財は返還されるべきであるという考えを推進することはさほどの苦労を要さなかった。その考えは「盗取文化財を巡る第一の金言である。」

しかしながら、どこの国にも自国の商業を可能にする原則があるので、それほど容易ではなかったとサンチェス=コルデロは述べた。同原則の一つは合法性の推定である。購入者が百貨店で買い物をする場合を一例に挙げて、請求書の発行を必ずしも求めないのは、百貨店のような公開市場での購入は必要な合法性に裏付けられており、それによって第三者である支払人・取得者を保護するという想定に基づくからである。

その種の法制度は、ドイツ、フランス等大陸ヨーロッパほぼ全土で、またメキシコでも採用されている。しかし、美術品市場の場合はそうではなくて、全ての文化遺産は返却されるべきであるという規範の下に置かれている。

Unidroit条約は善意の購入という概念を分析した。そして、その意味で、メキシコ国内でも、32州の民法間に相違の可能性があり、諸国間・大陸間ではより顕著である可能性を認めた。従って、技術的にも法的にも有効ではなかった。

Unidroitは「デューデリジェンス」、即ち正当な注意（国際法ではこの法律が初めて用いられた）というアングロサクソン起源の別の概念を選択した。取得者は、取得した物件が不正取引由来でないことを証明する限りに於いて、当該物件を返還し賠償を受ける権利を有すると定めた。その方は全採択国によって了承された。

徐々に…

更に、証明の義務が物件の取得者の負担になった。原産国に対して、対立の対象である物件が同国の領土から不正に流出したことの証明を求めるUNESCOとは異なり、不正取引由来でないことを証明する必要があるのは取得者の側である。その場合に限って、取得者は補償金を受け取るとし、そして「それ以外に、どこで当該物件を取得したかについて十分な情報を提供することも必要だった。誰が自分の物件を取引しているかを知りたいからなのだよ」と述べる。

——それでその面での協力は得られたのでしょうか。

——いや、問題はまだ解決していないのだ。

それから、サンチェス=コルデロは、Unidroitのもう一つの側面は、メキシコにとって基本的なテーマである先コロンブス期の文化遺産であることに言及した。正当または不正な発掘で得られた全ての規制された物件は、盗取されたものと見做され、返還されるべきであると示した。

そして、物件の確実性という考え方が導入された。UNESCOは、遺産に関する目録の作成を要請し、その上で、盗取された物件が目録に記載されていれば、Unidroitは、メキシコ先住民文明のミシュテカの容器やサポテカやマヤの物件に言及しており、いずれの場合もヨーロッパで作られたものではなく、文化的帰属の例であることを定めている。その考え方は、総体という考え方が作り出され、例えば、ペルーのクスコとマチュピチュ、メキシコのチチェン・イツァー、グアテマラのティカルそしてメキシコのカラクムル由来の全ての物件は保護されていることが示される。

文化遺産保護の専門家であるサンチェス=コルデロは、不正取引のテーマは細心の注意を要する問題であり、米国、フランスやネーデルラントのような国々は、物件の持つ文化的性質を論拠にして、国内商法に反する法秩序を課すことはできないと論じていることを認める。

その意味で、UNESCOは物件の文化性の決定を諸国民国家に委任したのであるが、そのことは盗難に遭った個人蒐集家達を枠組みから除外する文化的覇権という問題を作り出したと指摘する。翻って、Unidroitは、個人蒐集家達に当該物件の返却を請求するための行動を取ることを可能にする。要するに、自由の空間が切り開かれたということである。

また、Unidroit条約は、ラテンアメリカとカリブ海地域のほぼ全ての国々に加えて、エジプト、マグレブ地域、イランにより批准されており、要するに……順調に進展していると力説した。

同時に、不正取引は阻止されていないし、未批准国による条約批准のプロセスは捗々しくないことも認めた。しかし、「以前、我々は夢想家の集団だったけれど、今はそれほど夢想的ではない。マリのトンブクトゥのイスラム聖墓を冒涜した犯人の告発に成功し、イスラム過激派犯罪集団が逮捕され、国際刑事裁判所（ICC、在ハーグ）によって有罪判決が下されていることが物語るのだ」と、変化が起きてきているとも言う。

多くのテロ集団が、文化遺産の国債市場で資金調達をし始めており、それは米国や数カ国のヨーロッパ諸国等にとっては懸念材料となって来ていることは、何らかの形で事実が示していると述べた。その結果、UNESCO内の問題であるとして、当該テーマの取扱いに消極的であった国連安保理が、（サンチェス=コルデロが『プロセソ』誌に寄稿した評論の中でその内容を詳述している）一連の決議を行なったことを強調した。

安保理はモニタリングチームを管理しており、当該テーマ、とりわけ、国際社会全体に対して拘束力のある制裁の追跡調査への期待を以下のように表明している。

「メキシコは、不正取引を抑制するためにその土台に基づいて取り組む必要がある。問題の所存は、全てがパリではく、オークション会社でもないからで、極めて複雑で面倒なテーマだからであると外務省に伝えたのだよ。」

オバマ政権時の米国では、紛争地帯由来の文化財の輸入禁止に伴い、制限が公示された。ドイツ等の国も不正取引の抑制に取り込んでいる。しかし、フランスは、依然として取引を保護しているが、同国には100年来のオークションの伝統があり、文化性のテーマだけで法制度を変更することは容認されていない。

国連総会は2021年12月6日の第44回本会議で、ギリシアによる提案で、111カ国という「前例のない」数の支持を得た「文化財の原産国への返還または返却」の決議を無投票の全会一致で採択した旨同年同月10日、Unidroitから報告があった。そのことは、「1955年のUnidroit条約の重要性を再確認するものである。」

サンチェス=コルデロは、また、メキシコの*連邦官報*に政令が公布され、それに基づき上院が可決したことを称賛した。

今や、Unidroitは、法的裏付けを欠く文化財がEUに流入できないように、取り組みを合法性、即ち物件の来歴証明書のテーマに絞ることにした。このように、2021年5月のG20の会合でその方針が推進された。その背景にはオークションの激増があったことが指摘可能であるが、追求の対象になっているのは、公開市場を通じての文化財の合法化を指しているからである。

——それなら、現在、メキシコから先コロンブス期の物件が流出しているのではないのですか。

——文化財の流出の存否については分からないが、それがオークションの対象になっている事例ではない。だから、国連安保理はテロ集団と犯罪組織の双方の関与を重視している。

——我が国にも不正取引に関与する犯罪集団があるのでしょうか。

——正確なデータを持っていないが、確言できることは、その問題について米国人の友人達と論じてみたところ、残念ながら紛争地から流出される文化財は、依然として麻薬や銃器の違法取引、人身売買と同じ経路を取っていることだ。文化財の場合はそれらに次ぐ4番目の順位にある。

——文化省は様々なオークション会社に販売を止めるように書簡を送付していますが、現実的な効果はあるのでしょうか。

——メキシコ政府は、—一言添えておくと—外務省を通じて積極的な活動を展開して来た。それというのも我が国では同省が指針の牽引役であり、また尽力が著しい法務顧問のアレハンドロ・セロリオは、泰然自若な人物で、ヨーロッパで興味深い行動を取って来ている。

——確かに今は、とりわけパリに於いては、影響が大きい事象が次々に起きている状況だ。それに対して我々は手をこまねいているのではないが、合法性に関する行動の影響力は大きくなく、それなりの時間を要するということなのだよ。

法律の中での文化の挑戦

文化財の不法商業化及び不正取引は、メキシコのような国々に影響を与え続けている世界的な惨事である。

国際連合教育科学文化機関（UNESCO）のデータに拠ると、上記の現象は地球規模に拡大しており、公衆衛生上の危機—Covid-19パンデミックに起因する―は、不正取引にとって突如の活動停止を意味したにも拘らず、博物館・美術館及び考古学遺跡での監視の減少は、盗取の「罰を受けることのない遂行」を狙う密売人によって悪用された。

在メキシコUNESCO代表のフレデリック・ヴァシュロンの言葉を借りれば、金額ベースで見ると、不正取引により作られるこの闇市場は、不法活動の中で麻薬と武器の密売に次ぐ3位を占めている。また、米国の法学者のジェームス・ナフジガーに拠ると、美術品と文化財の「産業」は、年間500億ドルの利益を生んでいる。

そのため、美術品と文化財の収集と略奪は「表裏一体の関係」にある。そして、ドイツ、米国、イギリスや日本のように、金融取引と個人情報保護の法律によって、略奪者、蒐集家及びアートディーラーが参加する市場を合法化している国々がある。

かかる状況の下で、ホルヘ・サンチェス=コルデロ法学博士が総会の議長を務める私法統一国際協会（Unidroit）は、美術品の国家のコレクションに対して世界的な規則及び条約が与える保護を、由来が正当であることを証明できる個人コレクションにも拡大することを提案した。

武力紛争時の遺産の保護、差し迫った食糧危機、官民双方による検閲、公共と民間、人権、アイデンティティ、著作権、文化遺産と気候変動及び比較法学に於ける文化を巡るこうした問題が、2021年4月21日と22日、メキシコ市公証人会館で開催された「文化と法律セミナー」の中で取り上げられた。

比較法国際アカデミー（IACL：カタリナ・ブーレ=ヴェルキ会長）及びメキシコ統一法センター（CMDU：サンチェス=コルデロ所長－『プロセソ』誌の寄稿者でもある）共催での会合には、世界各地より弁護士、法学者、人類学者及び歴史学者が参加し、その中には、ブエノスアイレスよりリカルド・ロレンセッティ、シドニーよりルーカス・リキシンスキー、ニューヨークよりアレクサンダー・バウワー、ローマよりマリナ・シュナイダー、セーレム（米国）よりジェームス・ナフジガー、ワルシャワよりアンジェイ・ジャクボウスキー及びパリよりジェローム・フロマジョーがいた。

また、メキシコの文化機関の関係者からは、アレハンドラ・フラウスト文化大臣の代理としてマリナ・ヌニェス=ベスパロバ文化次官、ルシナ・ヒメネス国立芸術院（INBA）院長、ディエゴ・プリエト国立人類学歴史研究所（INAH）所長、そしてその他の参加者の中には、人類学者のルルデス・アリスペメキシコ国立自治大学（UNAM）教授及び建築家のサビエル・コルテス=ロチャ同大教授並びにエドゥアルド・バスケス=マルティン旧サン・イルデフォンソ学院（博物館）現院長の姿が見られた。

2日間の討論—対決ではなく—の中で寄せられた様々な意見は、国際私法及び比較法の専門家として南アフリカの西ケープ大学教授であり、本会議の報告者であるブーレ=ヴェルキによって集約された。その目的は、法的視点から文化の分析を図るための理論的な訓練を行うことであった。その意味で、文化は法律に従う共同財・共有財であり、不可分で、一人の人の所有物たることはできないことが重ねて指摘された。

集団的権利と伝統的知識のテーマが取り上げられ、著作権の視点から様々な分析検討に掛けられた。ブーレ=ヴェルキは、この状況を前に国際条約の障害と困難について議論・対峙するためには、いくつかの報告の中で言及されたように、著作権の移転を一つの問題として考慮し、剽窃の側面を含めるべきであると強調した。

メキシコの文化省の代表としてエレンディィラ・クルスビジェガス法務局長が、メキシコの美術織物の横領者達との交渉を求めてきた経緯について語った。その中には、キャロリーナ・ヘレラやイザベル・マランのようなデザイナーが含まれていた。確かなことは、そうした剽窃行為だけでなく、先住民及びアフリカ系メキシコ人の共同体の文化遺産に関する連邦保護法の有効性が問題視されたことであった。

人類学者のルルデス・アリスペは、知的所有の問題に於いては、人類学的立場の方に立脚していると述べた上で、法制化は反対意見やリスクを提起することになるという見解をクルスビジェガスに伝えた。そして、西洋の一つの規範の中での法律の分野だけに限定されるべきではないと示した。

アリスペの見解では、メソアメリカの社会の中の社会関係の歴史及び我が国の遺産は、それらの関係から生まれたことで、遺産に別の意味を与える高度な儀式性を有するという事実から建設的な議論が導き出され得るとした上で、次のように語った。
「上記の論点を敷衍することで、知的所有に関する貴女の議論は、磐石なものとなるのではないでしょうか。」
参加者間の専門的な意見交換の一部は、気候変動に対して向けられたが、旱魃、火災及び洪水が科学研究の分析の70%を占めていることを重視すると、現実の脅威となっていることが明白であるからである。

UNESCOが当該テーマを1972年の世界遺産条約の文化と結び付けたのは2015年であり、パリ協定の採択により気候の影響が認識された年であることを踏まえると「遅きに失した」という感が拭えないとIACLの会長は述べ、次のように結論付けた。
「パラダイムに変化が訪れ、今や、パリ協定を成功させるために文化に関する国際法と環境に関する国際法を繋ぐ架け橋を築かなければなりません…気候変動の問題が絶対に文化的性格を帯びていることが明確になりました。」

収集の二面性

『文化遺産に係る法律と国際貿易に関するハンドブック』*“Handbook on the Law of Cultural Heritage and International Trade”*の共著者であり、アメリカ国際法学会（ASIL）の前理事長で、文化遺産に係る抵触法の専門家であるジェームス・ナフジガーは、収集と蒐集者の持つ「二面性」について語った。そして、UNAMの人類学研究所（ナフジガーは客員教授を務めていた）の所長であった考古学者の故ハイメ・リトバックが、蒐集家達に対して法治国家と倫理の原則を創造的・実用的に有効にする方法をその当時提起していたことの意義を指摘した。
収集の歴史は､古代ギリシアの喜悲劇の記述に遡ると言っても良いが、文化・考古学財の返還要求の事例を踏まえて、植民地化と考古学物件の帝国主義者による略奪が中心的な分析検討のテーマになった。

ナフジガー教授は、このテーマに於いては肯定的な面があることを指摘し、その理由として、ミゲル・コバルービアスとディエゴ・リベラのようなメキシコ人画家を含む遺産の知識に貢献する蒐集家について語ることが可能であるとした。同様に、「自前の収集が建築に閃きを必ずや与えた」建築家のフランク・ロイド=ライト及び芸術家のルネ・マルグリットやアンディ・ウォーホルの名前を挙げた。

リベラは、所有していた約4万点の先コロンブス期の物件をメキシコ市のアナウアカリ博物館（リベラ自身が設計）に寄贈したことで、彼の言葉を借りれば、メキシコ人のアイデンティティの創出と連帯の強化に貢献し、同時に、トマス・ハート=ベントンのような海外の芸術家に影響を与えた。

他方、ナフジガーは、その種の収集が目指し得る社会的目的と結果的に得られる社会的成果が、商業化と盗取を正当化するかについて疑問を呈した。その点を踏まえて、リベラに先立つ400年前に、スペイン人征服者のエルナン・コルテスが、ヨーロッパに持ち帰った先コロンブス期の美術品の中には、ルネサンス期のドイツ人画家アルブレヒト・デューラーに芸術的閃きを与えることになった物件も含まれており……要するに、ヨーロッパ中の首都に織物、翡翠製品、黒曜石の原石や貴重な鳥の羽根が出回ることになった。

「植民地主義者の宗主国が利益を得たこうした帝国主義的略奪は、我々の収集に関する考え方を変える契機になり、関心の中心が疑わしい側面の観察へと移行した。」と指摘した。

そして、キプロスの神殿から盗取されたビザンツ様式のモザイク画やその他の聖なる物件が同国に返還された事例を挙げ、「誤りの是正は可能である」ことを示した。また､米国の蒐集家のペッグ L･ゴールドバーグに関する事例は、闇市場での取引に関係があるが、合法市場との境界線は辛うじて認知される程度であり、正当な取引と不正取引は紙一重の状態にある。略奪は、文化財の需要と供給に基づき、蒐集家及び一般の大衆によって維持される経済システムそのものであるため、合法市場との線引きは極めて脆弱である。

更に、市場と経済は、不法発掘にさえ及ぶ盗人に金を払うことを厭わない裕福な蒐集家によって支えられていることに言及し、「その状況は今に始まった事ではないが、明確に指摘されることはなかった。このように闇の経済システムが機能している。」と述べた。

そして、この産業は年間10億ドルを生んでいる。問題は、法学者のナフジガーが指摘するように、当該物件が一度市場に入ると、金融取引は、—とりわけ、ドイツ、米国、イギリスや日本に於いては—職務上の秘密と個人情報保護によって保護されており、骨董品市場は、物件の由来などは意に介さず、美術品を入手したがる富裕層にとって常に有利な法的枠組みによって保護されている。

しかしながら、ナフジガーは、1970年に採択されたUNESCOの文化財不法輸出入等禁止条約は、進歩の表れであると指摘し、同条約に関するメキシコの役割は肝要であったと述べた。問題は、拘束力を持たない政府の行動に焦点が置かれていることである。この条約に加えて、1995年のUnidroit条約も存在しており、その詳細はサンチェス=コルデロが（『プロセソ』2357号）に記述するとおりである。

2021年にマドリッドで開催されたARCO国際コンテンポラリーアートフェアに於いて、蒐集家に対する倫理規定が策定されたことを踏まえて、同規定は現代芸術に限定されているとはいうものの、ナフジガーはこれを斬新的であると評価した。そして、今後、その他の行動規範を作り、国際協力の枠組みの中で文化遺産をどのように保護すべきかに関する議論を促進するための指針になり得る。

協　働

文化財の不正取引が、金銭的に不法行為の分野で3位を占めていることを強調した後、ヴァシュロンは、国連（UN）がシリア戦争に関して指摘していたように、不正取引は紛争地域で横行するため、国際的安全保障のような他の問題と関係があることを示した。

議論の中では、ウクライナ情勢についても言及があった。その点に関して、在メキシコUNESCO代表は、人権、文化、安全保障、不正取引及び戦争犯罪一般との間には繋がりがあるので、国際刑事裁判所（ICC）

は戦争犯罪のような遺産への攻撃を考慮することを決定したと語った。

サンチェス=コルデロが、当該テーマに関して、『プロセソ』によるインタビューの中で行った解説（https://www.proceso.com.mx/reportajes/2022/1/9/el-saqueo-de-bienes-culturales-278771.html）に従うと、UNESCO条約とUnidroit条約の間には相違があるとした上で、両者とも普遍的な性格を有しながらも、批准国数は前者が140カ国であるのに対し、後者は50カ国に届く程度である。その点に関してヴァシュロンは同意し、UNESCO条約は国際公法の範囲の中で適用され、Unidroit条約の目的は、私法の世界的統一を図り、「個人、法人、国家の別を問わず」剥奪された全ての所有者の利益を保護することである、と付言した。

更に、両条約は相互補完的であると述べ、その理由を「国際司法秩序は完璧でもなければ、然るべく構築されてもいない」ことに見出し、協力、教育、安全保障及び倫理なくして、不正取引との戦いは不可能であるとしている。サンチェス=コルデロは、上述のインタビューの中で、UNESCO条約は、「最初から機関としての能力を上回るものであった」ことを認めているとはいえ、ヴァシュロンは、Unidroit条約は「脅威となる」ので、状況は遥かに効果的であろうと断言した。そして、メキシコが、2021年10月28日にUnidroit条約を批准したことを高く評価した。

最近IACLにより比較法「世界で最も高名な」5人の比較法専門の弁護士の一人として認められたサンチェス=コルデロは、今回の会議の中で次の告知を行った。「目下、国際社会と共に、文化政策と持続可能な開発に関するUNESCO世界会議、MONDIACULT 2022の中で討議する目的で文化財、不正取引及び国際社会が直面するリスクの状況に関する議題を策定中であり、同会議は2022年9月にメキシコで開催される予定である」〔訳注：開催された〕。

VII. 究明、再生…

記念物とデジタル環境

ダブリン出身で、出生名がジョン・ギャラガーというフアン・ガリンド（1802年～1839年）の研究、並びに米国人のジョン・ロイド（1805年～1852年）とイギリス人フレデリック・キャザーウッド（1799年～1854年）のそれぞれの著作は、マヤ文明研究の先駆と見做すのに何らの差し障りもないであろう。

探検家・将校であったガリンドは、短命に終わった中米連邦共和国（ホンジュラス、グアテマラ、エルサルバドル、ニカラグア及びコスタリカ）で卓越した政治力を発揮した。また、著作の中では、最も重要であるパレンケとコパンを中心とするマヤ遺跡に関する1831年の研究が秀逸である。遺跡の中の神殿に彫られた像から、ガリンドは、当時のマヤ族は、現地の先祖と不可分に結び付いているという仮説を提起した。

ガリンドの探求の成果は、1839年にアメリカ古物協会及びパリ地理学会より授章され、在アムステルダムのラビのメナセ・ベン・イスラエルが喧伝していて、当時広く受容されていた、中米の先コロンブス期の先住民の起源に関する諸説に反論するものであった。中東のイスラエルの失われた10支族の１つであるとする荒唐無稽な見解の主張者は、（ディエゴ・ドゥラン 1588-?, グレゴリオ・ガルシア 1561-1627, トーマス・ソロフグッド 1669-?, ジョン・オクセンブリッジ 1608-1674 et al.）があった。また、1640年初頭に、ポルトガル人の隠れユダヤ教徒であったアントニオ・デ=モンテシノス（別名アハロン・レヴィ）は、現在のエクアドルのキト付近のピチンチャ県で、同地の先住民がユダヤ教への関係性を「立証する」慣行を遵守していると表明するに至った。マヤ遺跡に関するもう一人の重要な人物は、米国人の弁護士のジョン・ロイド=スティーヴンズであり、考古学目的の探検とそこでの発見と関係がある美術表現の取得に金を惜しまないイギリス人の多言語使用者であったフレデリック・キャザーウッドと友好関係を築いた。

スティーヴンズは、マーティン・ヴァン=ビューレン米国大統領（任期：1837年～1841年）によって駐中米大使に任命され、外交官としてマヤ遺跡への探検を何度か実施した。

スティーヴンズとキャザーウッドの最初の探訪は、1839年、ニューヨークから始まった。行き先はコパン、ウシュマルとパレンケであったが、メキシコ大統領のアントニオ・ロペス=デ=サンタ=アンナは、パレンケへの立ち入りを明確に禁止していた。

キャザーウッドは、経緯儀と地表の上に映像を詳細に映写する高性能のカメラを使用して、マヤの建築物の一連のリトグラフと版画を作成した。それらはマヤ遺跡の美しさを掛け値なく称賛するものであった。ウシュマルへの立ち入りが両者に許可されて、マヤ文明古典期に該当するプーク様式を目の当たりにした訪問として知られている。

1841年に両者が組織した第2回の遠征では、博物学者のサミュエル・カボットが同行し、3名でウシュマル、カバー、チチェン・イッツァ及びラブナを探訪した。これらの遠征について、1843年、スティーヴンズは、『中米・チアパス・ユカタン旅行記』*“Incidents of Travel in Central America, Chiapas and Yucatan”*及び『ユカタン旅行記』*“Incidents of Travel in Yucatan”*の2冊の本（2冊目は上下巻から成り、120枚の版画が含まれていた）を出版した。1844年に、キャザーウッドは、独自に、『中米・チアパス・ユカタンの古代記念物の景観』*“Views of Ancient Monuments in Central America, Chiapas and Yucatan”*という25枚の見事な版画を含めた一冊の本を出版した。

これらの著書は、先コロンブス期の遺跡を暗号文でしたためられたメッセージとして捉えており、その手がかりを解明するには、想像を逞しくするのではなく、既に専門家により正当性が一般的に承認されている画像や見解に頼る必要があるという点で制約がある。明白な効果はマヤの神殿が過去から蘇ることである。

ガリンドが行った神殿と当時のマヤ社会との関連付けは、スティーヴンズとキャザーウッドの上述の著書と共に、ミシェル・ド=セルトーが「歴史の忘却」と呼んだものを現在の時制の中に位置づける役割を果たした。これらの基礎を成す研究は、文化的共同体の統一と集合を目指す集合的象徴化を可能にした。

更に、上述の研究や著作の意義は、創作された過去のものとしての遺跡を、文書や画像を通じて鑑賞と保護の対象としてそのイメージを現在に甦らせることにあった。それにより、記念物と文書の間の緊密な相互作用が証明された。記念物は、回想の受け皿になることにより、創作者の限界を超える記憶を永遠に残す目的の下で確立される。記念物は、長期間存続することにより象徴的な特徴を強化することで、帰属感を昂揚させ、その縮小を確実に不可能にすることに資する。

文書は、進化を辿る過程で、ピラミッド、石碑や神殿の状況を頻繁に刷新·更新することにより、その化石状態を相対化する。実際のところ、標石のような記念物を不滅にするのは文化的言説であり、今でも、その役割は、宗教的・政治的・歴史的参照物を通じて、記念物を様々な共同体と結び付けることである。

記念物に不朽性を付与する英雄的精神または賞賛に値する集合体を作り出すのは、周期的に刷新される当該言説の社会的構築に他ならない。そして、本来は不動で静的な記念物の移行性を確保し、記念物を復活させ、社会の中に取り込むのは、社会的構築の成せる技である。

そのように、ピラミッド、石碑や考古学遺跡は、社会的一体感及び帰属意識を伝えるものであり、それによって、突如として我々の祖先の不朽の文化遺産になるのである。これこそが社会的構築の有効な役割である。科学的、行政的、立法的の種類を問わず、文書という形式の標的読者は異質な集団であるため、その役割は決定的である。

写真撮影

写真撮影の進歩は視覚芸術を激変させ、文化的言説と記念物の間の連関も例外ではなかった。撮影は、考古学遺跡の壮麗さを保護し、遺跡の経年劣化と破壊行為を記録する系統的な目録を導入した。同様に、コミュニケーションと知識の伝達にも資するものであった。

それに加えて、写真撮影は文書を図象的にし、複写は容易だが、保存の必要がある画像に変貌させた。それによって多様な形式の集合的記憶を作り出した。

デジタル環境

現代は、映像メディア、所謂5G（第5世代移動通信システム）、最新世代の技術のような完全に革新的な環境に到達している。ピラミッド、石碑及び神殿に関するインターネットのポータルサイト数は飛躍的に増加して来た。こうしたネット空間は、現在が内包する過去の核心に迫るための適切な手段として重視されて来た。

強調しておく必要がある。現在は常に変化をしているものであり、集合的記憶の能力とその社会的絆を昂揚するための前衛的要素をもたらすのは、デジタル環境（DE）の役割であった。

デジタル環境は、記念物と考古学遺跡の映像を合成するが、一つの明確な結果を伴う。即ち、その映像は架空の記念物を作り出し、それを再構成し、遺跡の美観を変更する。記念物から何らかの思い出を奪い取り、当該記念物を仮想空間の中で美しいが明確な方向性を欠くデジタル画像に変換する。

この技術革新は、突如としてポータルの検索者を記念物の神秘に誘うが、慣性効果によって、考古学遺跡が不活性な過去の物に変換されることで、当初の社会的構築を通じて、記念物を集合的記憶の中に挿入する斬新な方法の開発が必要となる。挑戦は明白である。抽象的な集合的記憶が具体的だが単独の個々人の記憶と対立する事態を避け、それにより個人と集合という最終的な単位に意味が伝わるようにするのである。

エピローグ

技術革新は、記念物に関する言説の盛衰を劇的に表現するが、それが19世紀と21世紀の最初の探索（検索）を比較すれば殊更である。正式な真贋と歴史的な真贋の概念は、これ以降、疑問視されながら異なった進路を歩んで行く。デジタル環境は、その象徴的な有効性によって、ピラミッド、石碑や神殿のメッセージを再構成する。

デジタル環境の社会的構築は二重の効果を有する。記念物の客観的表現と、特に、その政治的表象である。デジタル環境は、その実用性及び技術的または知的特異性の中ではなく、制度的な性格の中で完結されるべきである。同環境の象徴的な有効性は、単なる偶像的イメージの中で終了しない。このイメージが記念物を作り出すとしても、その制度的性格が当局の関与を強化するからである。

新たな文化モデルの探求（I）

1990年代末期、文化遺産保護のための国防省警察司令部は、スイス警察の協力を得て、ジュネーブの自由貿易地域で大規模な強制捜査を実施し、それは程なく*有名な事件*（*cause célèbre*）に発展した。同事件は1997年に最高潮に達して、ギリシア・ラテンの文化財の窃盗団であった所謂メディチマフィアの首領のジャコモ・メディチが逮捕され、ローマの法廷により懲役10年及び1千万ユーロの罰金の刑を言い渡された。メディチに加えて、配下のロバート・ヘクト及びカリフォルニア、マリブに所在するJ・ポール・ゲッティ美術館の優秀なキュレーターであったマリオン・トゥルーが起訴された。

メディチは、それ以前に大量の文化財の取引を行なっており、そのために、不正取引の主要な仕向け先であるロンドンのオークションハウスを名義貸しで巧みに操っていた。かかる状況を前に、ロンドン市場での著名な美術商で、メディチ家の首席代理人のロビン・サイムズは、自分の無実を主張する目的で、即座に自ら破産を宣言した。

メディチ家の無節操は際限がなかった。同家の経済活動の成果を査定するには、古代ギリシアの陶工エウフロニオスの制作したクラテル（混酒用の器）の取得の事例を挙げるだけで十分である。その種の容器としては唯一の物件で、サイムズが2万ドルで購入し、それをニューヨークのメトロポリタン美術館（Met）に100万ドル以上の金額で転売した。取引を巡る陰謀が明るみになると、Metは、当該物件のイタリアへの返却を余儀なくされた。

イタリアの司法展開は強化され、その結果として、フランチェスコ・チアルディ検事は、プリンストン大学美術館—財力のある幾つもの基金を擁することで名高い組織であり、惜しみない寄付金の受け皿である—のキュレーターのマイケル・パッドゲットとエドアルド・アルマジアを、考古学物件の不正取引の廉で起訴した。同大の卒業生であるアルマジアは、ニューヨークの美術商になっており、ボストン美術館をはじめ、クリーヴランド、ダラス、サンアントニオ、トレド、タンパ等の美術館のような米国の権威のある美術館に、ギリシア・ラテンの重要な文化財を提供していた。プリンストン大学美術館は、当該物件の不正な由来を認めイタリアに返還した。

その時以来、返還請求を巡る事例が増加したことを受けて、所謂普遍的美術館は、極めて疑わしい来歴の物件の返還に応じざるを得なくなった。そしてその即効は、アメリカ博物館同盟（AAM）に於ける博物館・美術館による取得のための倫理規定（EC）の採用に現われた。

しかしながら、この種の規定の策定は、変化する市場のルールに屈する傾向を示した明らかな進化過程を描いたので、一時的で緊急性に従うものでしかなかった。全米美術館長会議（AAMD）の文化財の取得に関する倫理規定は、その紛れもない証拠である。

UNESCO

1976年、UNESCOは、「文化財の国際交換に関する勧告」を採択した。その勧告によると、加盟国は、国家間または国立機関の間で、この種の物件の有償（貸与）または無償（寄託）での所有権、一時的使用権、または最終的には保管を移転することができる。この構想は、諸国民間の相互理解の一層の増進に向けた国際協力・連帯に基づくものである。

この状況の中で提起されてきた種々の計画には、文化財の寄託または長期貸与に関するものなどが含まれており、それらの先例は枚挙に遑がない。

1983年、米国人女性のドミニク・デ=メニルは、キプロス東部のファマグスタ地方のリエシ市に所在するギリシア正教の小教会から略奪されていた13世紀のビザンツ様式の壁画の売却を持ちかけられた。

聖ユーフェミアに捧げられたこれらの壁画の格別の品質と宗教的意味は、メニルにキプロス正教会の代理での取得に傾かせた。メニルは同時に、キプロス政府の同意を得るべく働きかけを行い、最終的に獲得して、ヒューストン美術館が長期間の寄託の形式で所蔵することで同政府と合意した。この契約は、当該壁画から、こうした趣旨で始まる返還請求を巡る論争の芽を摘むための手段であった。

これらの中世の美術作品の維持作業は、キプロスに返還される前にテキサスの美術館が担当した。更に、建築家のフランソワ・デ=マンシルは、フレスコ画の背景を再現し、そのためにキプロスのビザンツ様式の礼拝堂のレプリカを建造した。展示は大成功を収めた。来館者は相当数に上った。

この種の貸与の慣行は一般化して行った。ツタンカーメンに関する展覧会が開催され、エジプト考古学博物館（カイロ博物館）に莫大な利益をもたらしたと報じられた。「ツタンカーメン：黄金の王と偉大なファラオ達」(2008年～2013年）及び「黄金のファラオの宝物」(2018年～2021年）はその好例である。

2007年、ルーブル美術館は、アブダビに対して、10年間総額2億4,700万ユーロの300点近くの美術品を貸与することで合意した。

この種の契約は政治的に実現可能であり、原産国による当然の疑念を回避することは明白となった。貸与の目的が、キプロスに関しては物件の保全と修復、アブダビの事例では、教育上の目的を持った公開であったことが端的に示している。

イタリアの現実主義（プラグマティズム）

しかし、新たな文化モデルの先例を作ったという意味で画期的であるのは、正しく、イタリアと米国の普遍的美術館との間の文化協定であり、Met（2006年2月）、J・ポール・ゲッティ（2007年2月）及びプリンストン（2012年1月）との間に交わされたもので、1970年のユネスコ条約とは別に正式に締結された。これらの協定のおかげで、イタリアは、結果が予測できない煩雑な係争を回避して、極めて重要な文化財を回復した。

上述の契約に基づき、Metは、2008年にエウフロニウスのクラテルを、2010年に南米の「ウアケロ」に相当する「トンバロリ」—考古学的価値のある墓荒らし—によってシシリア島のモルガンティィナから盗取された銀の宝物をイタリアに返還した。それを受けて、イタリアは、Metで、４年間同様の審美的重要さを有する物件の展示を余儀なくされた。J・ポール・ゲッティ美術館は、崇拝対象の記念像である有名な「アフロディーテ」をはじめとする40点を超える物件をイタリアに返還した。その見返りとして、イタリアは、エトルリア美術の真骨頂であり、それまでイタリア国外に持ち出されたことが決してなかった「アレッツォのキメラ」などの美術品を寄託した。

同様に、プリンストンは、係争中の10点を超える物件をイタリアに返還した。他方、同国は、ギリシアのアッティカ県から出土した、陶画家のディノスの作とされる容器、ギリシア古代ローマの競技者の大理石製の頭部と青銅製の古代ローマの小像で、プリンストン美術館の言に拠れば、これらの高度な教育的可能性を有する物件を、プリンストンに寄託した。同館とイタリアの間の協定は、名門の美術史学科及び考古学学科の教育的使命を確保し、社会との約束を再確認するという二つの側面に沿って構築された。

これらの協定と並行して、2001年、イタリアと米国は、文化資産保護法（CCPIA）に盛り込まれた基本合意書（了解覚書：MOU）に署名した。そして、米国は1970年のユネスコ条約を批准した。このMOUの中には、国際互恵、協力及び連帯の原則に基づき、教育・研究目的での長期の寄託が既に予見されている（MOU付属文書II E）。

エピローグ

当該分野の国際法とは別に、ある国民国家と諸文化機関との間で応急的に作成された、現在の種々の論争、国際協力に関する合意は、今後発生する論争の解決のために正式に決定されるものである以上、文化財の単なる返還を超えた性格を有する。

イタリアの場合、立証されていたように、同国は、主たる代償として、1970年のUNESCO条約に記載されていたものとは性質的に異なる任務を引き受けた。それが契機となり、国家及び美術商から成る国際美術市場の主役達が、文化財の不正取引を抑制し、国際文化協力・連帯を奨励する必要性を認識する文化的空間での新たな機会が開かれるようになった。

この契約方式は好循環を拡散する。高品質の文化財の展示を提供し、その性格が想定する教育・研究目的を確保することで、原産国の正当な返還請求と普遍的美術館の名声の両方を満足させることである。更に、普遍的美術館が、不確かな来歴の物件を取得するという好ましくない事象への曝露を回避することにも資する。このように、文化財は、公開展示を通じて付加価値を取得するのである。

新たな文化モデルの探究（II）

79年のヴェスヴィオ火山の噴火は、ポンペイの町だけでなく、ナポリ湾に面した今日の都市カステッランマーレ・ディ・スタビアに相当する小さな飛び領土のエスタビア（スタビアエ）も埋没させた。エスタビアは、古代ローマの政治経済エリートが建造した別荘で有名であった。イタリアと米国の間で締結された一連の合意に従って、2004年から2008年にかけて巡回展が企画され、「エスタビア：古代ローマのエリートの海辺の別荘」（*Stabiano: Exploring the Ancient Seaside of the Roman Elite*）展として全米で大成功を収めた。そして、「ポンペイと古代ローマの別荘。ナポリ湾周辺の美術と文化」（*Pompeii and the Roman Villa: Art and Culture around the Bay of Naples*）をはじめ、多くの巡回展が続いた。

イタリアと米国の間の協定は、米国の文化財に関する条約に盛り込まれた2001年の基本合意書（了解覚書：MOU）と呼ばれる文書に依拠しており、同条約を通じて米国は1970年のユネスコ条約の批准を実施した。

MOUの基本原理は、教育・研究目的を持った国際的互恵、協力及び連帯であり（MOU付属文書II E)、有形文化遺産の保護のために必要な新たな文化モデルの構築の土台を構成する。

知識の保護

後世への知識の継承を確立することで、知識の保護は磐石となる。この公理と調和して、有形文化遺産（MCH）は、その性質故に、保管に関する原則的な識別を余儀なくする。MCHの目に見える記念碑的価値またはその具体対象は、集合的記憶の中に含まれており、その保護には司法的利益と公益が結合しているので、特定の方法論を用いる必要がある。

上記は、未発見のMCHの保護・監視と、我々の集合的記憶から消し去られた考古学遺跡の特別な思い出とは顕著な相違を想定する。考古学遺産（AH）は、再生不可能な資源であり、とりわけ、我々の起源、過去及び未来への野望に関する情報の坩堝である。

AHに於いては、環境は根本的要素であり、確認から出発する必要がある。科学者たちによる考古学遺跡の研究への本来の介入は、次の基礎的知識を導く。この領域での考古学者のアプローチは、遺跡へ最初に侵入する時点で、二度と繰り返せないという極めて貴重な経験である。従って、考古学者の層序学的分析は、かけがえのない知識の泉であるが、不断に増加し、再構築される特徴を持つ、同分析に続く類型学的及び分類のための分析とは本質的に異なる。

この枠組みは、長丁場の研究目的を有する考古学的保留地として重要になる近隣の遺跡の保護を、現代考古学に迫るものである。社会的・層序学的指標は、考古学者及び歴史家に対して、個人コレクションまたは所謂普遍的美術館に「四散して」所蔵されている骨董品の分析の中で不在の一つの視点を与える。

不正発掘は、普遍的知識への不可逆的な損失をもたらすことは明白である。過去の理解に不可欠な環境を破壊するからである。更に悪いことには、遺跡への最初の侵入は、突如として知識のあらゆる可能性を途絶させる。剰え、骨董品は脆弱であり、被害または適切な管理がない場合の完全な破壊の危機に晒されていることを考慮する必要がある。

結論は絶対的である。即ち、不正取引は科学研究を混乱させ、古代文明の知識を深刻に制限し、その継承を阻害する。全ての文化モデルは、その規範に於いて綿密でなければならない。

国内法

有形文化遺産の原産国に於ける保護に関する様々な法律には重要な一致が存在する。同法律を通じて、とりわけ考古学財は、無形性の条件「不融通物（*res extra commercium*）のメカニズム」を獲得するために、公有制の下に置かれる。その第一義的な結果は、原産国が切望する所有権を付与することである。

上記の法律の目的は明々白々である。即ち、既存のMCHを原産国の現実の地政学の中に定着させることである。総合的保全の概念の進化する過程を分析する中で、同概念は、大きく異なる伝統的保護の公共政策として認識される。当該政策は、国内の規準に従うと、保護措置の対象となる傑出した記念物及び遺跡を特定することから成る。このような伝統的対策は、更に、記念物及び遺跡に公益的性格を付与し、分類と登録の実施も含む。

総合的保全の新たな概念は、遺産の普遍性への取り組みを優先する目的で、以前の公共政策に取って代わる。実際には、記念物及び遺跡の保護政策は、普遍的視点に立脚する総合的保全政策によって拡充・補完される必要がある。

この土台を充実させるために、UNESCOとUnidroitは、組織連合として、国家と未発見文化遺産との関係を規制するモデル条項を策定した（「未発見文化財の国家所有権に関するモデル条項」）。

挑戦は、従って、原産国による所有の正当性を強化し、仕向け国に於ける文化財の不正取引を抑制し、同時に、国際美術市場の機能性を安定させるメカニズムを付与するモデルを促すことである。

開かれた文化

米国に於ける数多くのメキシコ美術展は、明白な経済的・政治的利益を伴って開催されてきた。若干の実例を挙げてみよう。1940年のニューヨーク近代美術館（MoMA）での「2000年に亘るメキシコ文化」展は、ネルソン=A・ロックフェラーによる資金提供を受けた。1978年のアーマンド・ハマー財団の後援による「様々な国立博物館所蔵のメキシコの宝物」展、そして1963年から64年にかけての「メキシコ美術の最高傑作」展であり、最後の2展覧会はロスアンゼルス・カウンティ美術館（LACMA）で開催された。

1990年10月、Metに於いて、「メキシコ：華麗なる3000年」という豪華な内容の展覧会が開催され、その後、LACMA及びサンアントニオ美術館（SAMA）での開催を経て米国各地を巡回した。

展示内容は、反体制派を取り上げた美術作品を除外したことで際立っていた。実際、特徴の一つは、強いイデオロギー性を帯びていたにも拘らず、政治的には全くの無関心であった。そして、その壮麗さはエリートにしか伝わらないというもので、とりわけメキシコではエリートだけが、国外でMCHの傑作を鑑賞できる幸運に恵まれていた。

米国では、米国、メキシコ及びヨーロッパの数え切れないほどの博物館及び美術館並びに個人コレクション所蔵の350点を超える彫刻、絵画及びその他の芸術作品が展示された。

メキシコでは、北部のモンテレイ現代美術館（Marco）で、またメキシコ市では旧サン・イルデフォンソ学院（博物館）で開催されたが、同博物館は会場となるために急遽修復された。ホセ=クレメンテ・オロスコの壁画が並べられ、16世紀末にモノリス（一枚岩）に托鉢修道士によって彫られた、先住民伝統とキリスト教の融合を語源とする十字架（Cruz Atrial）が存在感を見せていた。現在、同十字架は、メキシコ市のグアダルーペ寺院美術館に保存されている。

しかしながら、メキシコで上記の展覧会が開催された時期に言及されなかったことは、基本的に、先コロンブス期及び20世紀の相当な数の文化財を国内に持ち込むことができなかった事実である。国内での展覧会用の展示物に含まれなかった先コロンブス期の重要な物件には、エルミタージュ美術館所蔵の戦闘服を纏った戦士の形をした黄金の鐘、玉座に座った、古代マヤ人によって信仰されていた神のバカブ（Bacab）に類似する男性を表す、マドリッドの石碑として知られるマヤの石碑があった。この石碑は、メキシコ、チアパス州のパレンケ由来であるが、1787年に、植民地時代のメキシコ生まれの大尉であったアントニオ・デル=リオにより略奪され、現在は、マドリッドのアメリカ美術館所蔵となっている。また、1979年にネルソン・ロックフェラーによりMetに寄贈された、ゲレーロ州のメスカラ地区由来の7世紀に作られた戦士の石碑も、ハーヴァード大学のピーボディ考古学・民俗学博物館所蔵のマヤの物件も国内に持ち込まれなかった。

同様に、メキシコの展覧会は、20世紀の主要な作品を展示品として欠いていた。その中には、ダビッド=アルファロ・シケイロスの作品で、エドワード=M. M・モーバーグによりMoMAに寄贈された『叫びの響』をはじめ、ディエゴ・リベラの作品で、LACMA所蔵の『花の日』、カリフォルニア大学サンフランシスコ校所蔵の『とうもろこしをひく女』(1925年)、1995年4月、ニューヨークのサザビーズで競売に掛けられた後、現在はLACMAで展示されている『ザンダンガ、テワンテペク踊り』(1935年）及びMoMA所蔵のホセ=クレメンテ・オロスコの『自画像』が含まれていた。

フリーダ・カーロの作品で、テキサスの慈善家で蒐集家のキャロリン・ファーブ所蔵の『傷ついた鹿』（1946年）及び1936年にアルバート=M・ベンダーによりサンフランシスコ近代美術館に寄贈された『フリーダとディエゴ・リベラ』（1931年）等も同様に持ち込まれなかった。

結論には反論の余地がない。メキシコ社会から、上記の最も重要な文化財の鑑賞という交流を行う機会が奪われただけでなく、我々の過去への尊敬と愛着を集合的記憶の中に刻むための原則が無視されたことである。

上述の展示と対照をなすのが「メキシコの壮大さ」展である。現在、国立人類学博物館と文部省イベロアメリカホールの両会場で開催されている同展の有する威厳と豊かさを支えるのは、1500点を超える展示品数であり、そのうちの800点以上については、メキシコ社会の多相性を明らかにする知識の多様な視点を持った、国内では初めての展示機会となった。

展示の刷新的な特徴の一つは、米国、イタリア、フランス、ドイツ、スエーデンの非常に多様な文化施設の参加である。かかる協力は、メキシコの記念物及び考古学遺跡に関する連邦法の規則改正により可能になった（2020年12月の*「連邦官報」*）。

ここで明確化する必要がある。メキシコ国家は、今、極めて重要な文化財の展示を領土内で展開している。とりわけ重要な作品は、スエーデンのウプサラ大学所蔵の「ウプサラの地図」は、テノチティトラン〔訳注：アステカ帝国首都〕の自然遺産の豊かさを記録した16世紀の絵地図であり、それをフアン・オゴルマン（1905年～1982年）が寓話化した作品が『メキシコ市』である。そして、統治者達を表現した古典期後期（550年～830年）の3点のマヤの石碑である。

従って、基本的に海外で開催される他の展覧会との対照は理解される。この新たな進路に於いて、メキシコ国家は、開かれた文化を利用できる憲法上の命令の骨格を作り、明白な民主化の効果によって、メキシコの展覧会からエリート的意味合いを駆逐する。

エピローグ

国際互恵、協力及び連帯の原則の徹底により、国家は保管・監視する有形文化遺産に関する正当性を強化する司法制度の公布を奨励し、文化的、とりわけ考古学的破壊行為を禁止することが可能になる。

この分野に於けるあらゆる国家の義務は、知識の保護と後世への継承を確保することである。この断言こそ、原産国の制限的法律等を正当化し、国家の調整役としての機能を再確認するものである。

上記法律の規則の改正は、その関係性のために、この新たな言説の系譜を共有し、明確な刷新的指針によって、開かれた文化を利用できる憲法上の命令の骨格を作る。正にこの文化的に特有な側面こそが、公共で民主的な統治を促すだけではなく、文化の領域の中で、包摂による開放的な法制度を促進するのである。

「メキシコの壮大さ」展が典型的な事例であることは、新たな文化モデルを見据えて、21世紀の初めに最も重要な議論の幕を開けたからである。互恵、連帯及び協力という国際的価値観は、原産国による返還請求の正当性を排除するものではない。これらの主要原則は、以前には考えも及ばなかった文化財の分野に於ける社会的相互作用を支援し、大多数の国民にとっては不可能な海外への自由な行き来ができる、これまでのエリート色を排除するのである。

文化の緩和・適応・回復力（I）

2003年2月、スーダン北部で、最近では最大規模の紛争の一つが勃発した。国際社会は、この社会的激動が、どのようにして、世界史の中で記される最も悲惨な大虐殺の一つに至ったかを、苦悩の中で目の当たりにした。国連安全保障理事会は介入を余儀なくされ、国際連合アフリカ連合ダルフール派遣団（UAMID活動）という合同の平和維持活動の編成を決定した。

現地の状況を示す数値はあらゆる想像を超えている。死者は50万人以上に達し、600万人近くの人々が避難民となった。この虐殺に匹敵する事例は、フツ族政府がツチ族をほぼ絶滅させた1994年7月のルワンダ虐殺のみである（「国際司法のための連合」）。

スーダンに於けるジェノサイドは、人種差別をはじめとする差別によるアラブ系住民と黒人社会との間の昔からの対立に起因するとされる。しかしながらこの紛争の根源は多数の要因から成る。その触媒となったのは、土地の劣化、砂漠化の進行及び急激な人口増加により引き起こされた生態系の崩壊であった。気候変動に係るこの環境破壊は、ウガンダとスーダンを流れるナイル川の支川である白ナイル川の変質にも起因する。

天然資源と領土の利用とアクセスの問題等により惹起された、水と食糧不足を巡る様々な対立は、上述の結果を伴う、政治・人種・部族間の対抗関係を悪化させた。剰え、環境保護のジレンマに関する予測は依然として危ぶまれるものがある。降水量の減少は不可逆的であることから、食糧生産の激減は不可避の結果となるであろう。

国　連

食糧安保及び水資源へのアクセスに関する脆弱性は、国連環境計画（UNEP）の結論に拠れば、社会的紛争の原因の一つである。

2009年9月の国連事務総長による報告は、次のように決定的であった。気候変動は、降雨の可変性に影響を与え、水資源の可用性を減少させ、土地を劣化させるであろう。

この報告に続いたのは、2011年7月の国連の安全保障理事会（SC）の宣言であり、その中で、紛争の防止を通じて国際平和と安全保障の保全に努めるための正当性を再確認した。低高度の沿岸諸国に於いては顕著である、海面水位の上昇による国土の減少のように国際平和や安全保障を脅かす気候変動の悪影響、隣接諸国間での水の共有及び北極圏の資源の商業利用への懸念を表明していた。

社会科学の分野では、気候変動と一方的な暴力または同一国家内の複数の集団間での暴力及び蔓延する暴力の発生との間に、因果関係が存在するかを証明しようとすると、深刻な事態が看取される。この仮説が立証されれば、国内または国家間での社会的・政治的紛争の出現は不可避である。

この見通しに対して、ワシントンに本部を置く気候安全保障センター（CCS）は、気候変動と社会的暴力の間の因果関係に関する系統的な研究を開始した。既にコンセンサスがあるのは、気候変動を一つのリスク増大要素と見做していることである。現象間の関連性の存在を決定するために、10年程前にチュニジアの首都のチュニスで産声を上げ、アラブ世界の大半に広がった民衆の抗議運動である「アラブの春」を研究目的に据えた。

その結果、体制に対する民衆の不服従の起爆剤になった要素の一つが、2010年9月に始まり、2011年2月に頂点に達した中国でのほとんど雨の降らない冬であった。この気候現象は、同国の小麦生産に大きな影響を与え、エジプト—世界最大の小麦輸入国—への輸出量の激減と結果的な価格上昇をもたらした。

また、分析に於いては、世界最大の穀物輸入会社は中東に所在しており、同地域の7大小麦輸入国が、「アラブの春」の時期に激しい民衆の抗議行動の現場であったことを考慮する必要もある。シリアの場合、社会的・文化的・経済的諸要素と気候変動との相互作用は、市民と政府の間の社会契約に軋轢を生むに至った。そのことは、反体制派の力を強め、バッシャール・アル=アサド政権の正当性を不可逆的に低下させた。

上述の事実に基づく要素は、単独でバラバラの状態では、不安定化プロセスの起爆剤となったことを証明するのには力不足である。しかし、これらの要素の相互作用が、この「アラブの春」という状況の中で社会的暴力の説明に資するのである（Sarah Johnstone & Jeffrey Mazo）。

文 化

気候変動は、文化遺産に情け容赦なく悪影響を及ぼし続けている。無形文化遺産に関しては、戦争、水と食料の欠乏そして強制移住の結果として、共同体の住民達の仕事上の習慣や生活様式の変更を余儀なくし続けるであろう。こうした変化が、文化多様性及び社会文化的相互作用の観点から、種々の不安定要因を引き起こすことは明らかである。構造の最初の側面では、気候変動と暴力の二項式、2番目には、気候変動と文化遺産の保全との連関、そして3番目には、国際平和の達成のための媒体としての文化遺産は、科学と人文科学が合流する、気候変動が文化に与えるインパクトを明確にする上で極めて有意義である学際的な概念的三角形を構成する。

現在、文化を永続的平和の構築と確保に積極的な要素と見做す必要がある。国際社会は、この概念的三角形の基礎が、国際協定及び国内法の中に取り込まれ、国際慣習法に変化する必要がある公正の諸原則を認めることを自覚する必要がある。

気候変動が文化という状況の中で提起する基本的概念は、回復力(レジリエンス)と脆弱性である。前者は、先行、予防、低減、吸収及び適応のシステムの能力、または、危険からの急速で効果的な回復能力として説明される。そこには、本質的な構造物の保全、修復または改善が含まれるべきである（国連防災機関：UNDRR）。この領域で文化が基本的であることは、様々な共同体に意味とアイデンティティを与え、帰属感を高め、諸価値の共有と社会的一体性を育む等の機能から理解される。

またこの分析は、上述の不安要因の影響が、無形文化遺産に於いて際立っている点を見逃していない。先住民共同体という多様性は、浸透した気候変動要因に対して、回復力の明白な効果を促すメカニズムを作り出してはきた。しかしながら、ここで次の基本的な疑問点が提示される。居住環境が劇的な気候変動に晒されてきた今、生活様式の変質はどの程度重大であったか、である。

もう一つの基本的な概念の文化的脆弱性に関しては、既存の文化的パラメーターは、様々な文化的表現を消滅させ得る閾値を下回る顕著な低下を示すことが、図式的に確認される。このことは気候変動の連鎖的な悪循環によって説明される。

文化保護システムの弱体化は文化の不安定化をもたらす。文化的脆弱性の低減は、人類の発展を向上させる主要な効果を持つものであるが、この低減については、広範な全体としての視点を持って取り組む必要がある（UNDRR）。

UNESCO

現在のところ、気候変動に立ち向かう2本の利用可能な法律文書は、「世界の文化遺産及び自然遺産の保護に関する条約」（1972年のUNESCO条約）及び「無形文化遺産の保護に関する条約」（2003年のUNESCO条約）である。特に前者では、推移的所有として概念化されたUNESCOの世界遺産リストへの登録によって、国際的透明性がより高まっている。国際的名声は登録に直接的に比例するという黄金率には疑う余地がない。

2003年のUNESCO条約は、1972年の条約に代わるものであり、

UNESCOの文化遺産の全体論的概念を要約することになった。しかしながら、1972年の条約は、気候変動が当然のことながら人間の生活様式を変えるとき、同条約が伝統、慣例、祭式や常に変化する知識の中から生まれた以上、その内容は崇高ではあるが、気候変動の悪影響を緩和するには無防備である。

本論での考察は、従って、1972年の条約に関するものである。文化に関する提言は、記念物と遺跡が如何に貴重でありうるとしても、それだけに限定されるべきではない。知識の後世への継承を確保するには、集合的記憶の喪失防止と文化遺産の保全も関与する。気候変動が集合的記憶、即ち、文化遺産の中に要約されている才能と独創力に影響を与えることは明白である。この証拠から、平和的共存の偶発的な撹乱の発生を推論することが可能である。

エピローグ

気候変動は、21世紀の国際的議題の中で最重要となるであろう。そこから、文化遺産の劣化予防、適合及び監視の概念、更には、国際平和の維持を再提案する必要がある。気候変動の影響を低減させるには、自然・社会・人文科学間の相互作用を促す全体論的なアプローチを取らざるを得ない。

気候変動を目の当たりにした文化遺産の役割とは何かを巡って、気の遠くなるほどの疑問が噴出する。文化的テーマは、同一の性質の答えを要求する。全体像としては、文化遺産の概略は、回復力のある文化の永続的な形成の中での人間の経験の「至高の」ものとして示される。遺産はその経験の評価を必ず必要とする。

1972年のUNESCO条約は一つのパラドックスを伴う。即ち、世界遺産のリストは、最も価値のある記念物と遺跡の保護を目的とするが、それらは人為的略奪行為の原因となっている気候変動の破壊作用の前に危機に陥っているのである。

しかしながら、この条約は記念物と遺跡の単なる目録作成に留まらない以上、新たな解釈が必要である。我々はどこから来たのか、我々は何ものなのか、そして後世に残したい社会はどういうものか。こうした基本的な疑問点に十分な回答をする文化的意識を持つための諸価値に立脚しなければならない。

気候変動は、我々の文化的・自然的生態系の脆弱性に新たな特質を与えるであろう。その「言明」*“dictum”*は容赦無い響きを放つ。

文化の緩和・適応・回復力（II）

チョコ県は、その豊かな自然・民族及び文化により、コロンビアで最も多様性に富んだ地域の一つに数えられる。この地域を流れるアトラト川は、国で最も水量の多い河川であり、マグダレナ川、カウカ川に次ぐ国内3番目の航行可能な川である。アンデス山脈に源を発し、カリブ海のウラバ湾に注ぐ。

同県は、数世紀に亘って、手に負えない腐敗を助長する社会的排除を被って来た。地理的位置のために、植民地時代には行政機関・制度の管理下に置かれておらず、生産性の低い鉱業が営まれていた。同県の無形文化遺産は、コロンビアの支配的な文化を耐え抜かなければならなかった。その脆弱性は明白である。

恒常的な混乱状態にあるこの生態地域は、気候変動の議論及び自然・文化環境の議論の俎上に上がっており、突如として、コロンビアの社会の急激な変化にとって避けられない触媒になった。

司法権

コロンビアの法制度には、二つの憲法上の行為が存在する。集団的権利または利益を保護する国民的行為及び憲法に定める基本的特権の保護に適した監督的行為である。

アルト・アトラト農民大衆組織上級共同体審議会（Cocomopoca）及び他の団体を代表する「「尊厳の土地」（Tierra Digna）の社会正義研究所」は、彼らの生物文化的権利の完全な行使の返却を、監督的方法を通じて、共和国大統領府、環境・持続可能な開発省などの機関に請求した。それは、健全な環境と文化への権利のように、国内の民族共同体に所有権がある事例である。

これらの共同体の住民は、また、固有の法律、習慣及び伝統に従って、自己の土地に関して自主的な監督を行使する権利も有する。彼らの環境と生物多様性への絆に強調すべき点が存在するのは言を俟たない。そしてその絆は、当該共同体に居住する先住民諸集団の性質、資源及び文化の間の明白な共生関係を示している。

「尊厳の土地」は、生物文化的権利の十分な行使を保証するために、アトラト川と支流の流域及び隣接地区を蝕む、気候変動により引き起こされる文化、社会環境及び人道的な重大な危機を前に、政府に対し、構造的解決策の連結を可能ならしむる一連の命令及び措置の発布を義務付ける必要性を要求した。

2016年11月、巨大な社会的圧力の中心で、憲法裁判所は、ラテンアメリカの中でこの種として最も象徴的な判決の一つを下した（関係書類T-5.016.242）。その中で、憲法の命令は比類なきものであり（第8条）、コロンビアの国家及び社会による、自然及び文化の豊かさを保全する義務があることを定めた。そしてそのために、憲法は、人間と存在に必須の環境との間の繋がりを保護し、その保全、回復及び持続的な開発に当たるための諸義務を設けた。憲法は、憲法裁判所の判断に拠れば、民族的・文化的多様性並びに先住民族の世界観及び宗教性を構成する要素としての土地との繋がりを擁護する。

憲法の文章及びコロンビアが批准してきた条約を考慮すると、憲法裁判所は、憲法が、「環境保護」的側面を有する点が際立っていると示す。更に、自然のより高度な影響力にも力点を置いている。そしてそのために、生命中心の構想、そして今後は、憲法は、基本的な環境主義的立場を採用する目的で、伝統的な人間中心の概念を脱却した。

アトラト川とその自然は、共同体の多様で型にはまらない世界観に固有で、憲法的保護を受ける権利を有する歴とした主体と見做される必要があるため、憲法裁判所の判決に表現された結論は予想がついていた。また、同様な事実・法的状況にある全ての民族集団に対する判決に共同体間の効力（*inter communis effects*）を付与した。

この稀有な判例は、自然は自然環境と人間の生活環境以上のものであると判断するコロンビア特有の司法権と調和している。即ち、保護され保証されるべき固有の権利を有する主体であることから、進歩的な判決であることは議論の余地がない（関係書類T-080 del 2015）。第一の効果は、あらゆる市民に対し、自らの文化・自然環境の保全に向けて憲法による保護を要求するための正当性を付与することであった。

専門的に述べると、自然と人間の生活環境は、先住民共同体に特有の文化遺産を維持する権利を付与するコロンビアの憲法の中では横断的効果を有することが看取される。集団的生物文化的権利の機能は、先住民の世界観に沿った自然の伝統的管理から成る。

自然と人類との間の繋がりは、共同体に内在する精神的・文化的意味を有する生物文化性に基づく。民族的・文化的多様性は、多様な生活様式、人種、言語、伝統及びヨーロッパ中心の概念とはかけ離れた思考系統の民主的、参加的及び多元的性質並びにその完全な受容に内在する（判決SU-510 de 1998）。

憲法裁判所によるこの判決は、予想外の反響を生んだ。判決が下された直後に、未成年者を多く含む25名のコロンビアの若者が、コロンビア領アマゾニア〔訳注：アマゾン川流域地帯〕の臆面もない森林破壊により、将来世代の担い手として、尊厳のある生活、健康、水及び自らの文化への権利が侵害されていると考え、前述の監督的手段に訴えた。

その際、最高裁判所は、憲法裁判所の判例に従い、当該地域を国家及び同地域を構成する行政機関の管理による保護、保全、維持及び回復の権利を所有する主体と見做した（関係文書STC 4360-2018 de abril de este mismo año）。

原告が選択した法的手段は間違っていた。しかしながら、最高裁は、例外的な考慮に基づき、その不正確な選択肢は許可されるべきであると主張した。最高裁は、気候変動を、人権に与えるインパクト、及び現時点での影響の存在そして今後の影響が及ぶ可能性に鑑みて、文化政策を含む諸政策の策定のために、意見を聞く対象としての将来世代の承認とに結び付けた。更に、この判決は、科学的議論に基づき、森林破壊は、コロンビアに於ける温室ガス効果の主要源であると結論付けた上で、法制度に由来する技術的考慮を画期的な形で除外し、同議論をそのまま受け入れた。

上記の手続きに関する新たな想定は、経済的な疲弊や文化的多様性への絶えざる嫌がらせにより、数世紀間にも亘って孤立無援であった共同体等にとって、コロンビアに於ける司法へのアクセス権を与えるという新規の側面を切り開いた。文化へのアクセス権の根源である司法へのアクセス権は、支配文化の威圧に晒され極度な脆弱に陥っている少数文化の保護を主要な目的と据える。

憲　法

前述のように「母なる大地」を意味するパチャママ（*Pachamama*）という語句は、南米の先住民の言葉の一つであるケチュア語に固有の言葉である。パチャは世界または大地を、ママは母を意味し、アンデス地方の母なる自然に対する文化生態的信仰が作り出された。

この運動の一環として、エクアドルとボリビアは、パチャママに対して、憲法にこの表現を盛り込んだことには、自然が諸権利を所有する主体として、予想外の概念化がなされている。エクアドルの憲法には、パチャママは、その存在の全てが尊重され、その生命の周期、構造、機能及び進化過程の維持・再生の権利を有すると規定されている（第71条）。専門的に述べると、法体系は、全ての人、共同体または先住民族に対し、その生態系に固有な全ての要素の保護を要求するための当事者適格を付与する。

両国をはじめ、ラテンアメリカ全般の憲法の中での文化権の発展は顕著である。生態系は、様々な文化的共同体が、最も寛大な意味に於いて、独自のアイデンティティを構築・維持し、自己の帰属を決定し、美的自由を存分に使い、集合的記憶を回復し、文化遺産に無制限にアクセスする権利と結び付いている。これらの憲法は、文化的共同体に、固有の文化的表現を広め、他の多様な文化的表現へのアクセスをする権利を保証する。

公共空間は、共同体の自然環境によって構成されており、多様性に於ける討議、文化交流、結束及び平等の推進のための特有の領域である。このように、先住民族は、その文化の保全のための区域を構築することが可能になるであろう。

人　権

1998年、国連総会は、世界人権宣言50周年を記念して、人権擁護者に関する宣言を採択した（決議A/RES/53/144）。文化と自然の二項式の進展過程に於ける根源的な宣言である。

2019年3月、メキシコを中心とする加盟国によって推進された歴史的な決議（No. HRC/RES/40/11）に於いて、人権理事会（HRC）は、文化―自然の二項式の均衡を確保し、持続可能性を追求するイニシアティブの展開にとって第一義的な、環境の人権を擁護する人々に関する内在的承認を採択した。

この決議は、直前の決議の所産であることから、様々な共同体による文化的権利の行使が支柱の一つである文化と自然の共生の展開上、極めて重要なものとなった。加盟国への奨励は決定的である。正しく人権の尊重と擁護を通じてのみ、気候変動の人為的な関与のある有害な結果に立ち向かうことができる。決議の奨励の持つ整合性は、更に広範囲に及ぶ。主として文化生活を保証するような法律及び公的イニシアティブの採択・適用を義務付ける。また、次の事柄を定める。一つは、市民社会がその様々な生態系に於いて環境対策を講じ、持続可能な開発のための2030アジェンダを追求する目的で、市民社会の*隅々に*（*in extenso*）に便宜を与えることである。もう一つは、生物多様性への被害を防止、減少そして修復し、更に、経済的・社会的・文化的権利の実施の妨害を回避するような法的・制度的枠組みの構築である。

この奨励という想定に反論の余地がないのは、文化遺産は、一つの普遍的共有財産と見做される多様性の構成要素であることに収斂する。共同体の様々なアイデンティティの唯一無二性と多元性は、相互作用、革新及び創造性のための豊かな泉である。この言明を敷衍すると、「文化的多様性の人類に対する必要性は、生物多様性の自然に対する必要性と同様である」と表現される。決議には重要な直近の先例がある。2018年の国連気候変動枠組条約締約国会議は、様々な生態系の保全、気候変動の緩和及び同現象への順応のための伝統的な基礎知識の推進を中心に据えた、文化―自然の二項式の融合に於ける文化的共同体及び先住民族の有する極めて重要な機能を強調した。

健全な環境の権利、従って、文化―自然環境の権利の性質の決定は、国際社会に対し、激しい論争を引き起こしてきた。その状況は、当該決議の結論部に看取される。

独立系の専門家の特別委員会報告書、とりわけ、2018年3月にHRCに提出された「枠組みとなる原理15」の内容は明白である。即ち、人権、環境及び意思決定への参画の間には好循環が存在し、そこから文化―自然の軸に於ける防止措置の効率的な遵守が導かれる。

ラテンアメリカ

2021年1月22日、アルゼンチンとメキシコは、2018年3月4日、コスタリカのエスカスで採択された「ラテンアメリカ及びカリブに於ける環境分野の情報入手、決定参加及び司法利用に関する地域協定」(エスカス協定)の批准書を国連に寄託した。そして、同協定は、4月22日、メキシコを含む全締約国で発効した。尚、その日は、「国際アースデイ」記念日である(2021年4月22日付連邦官報)。

この地域協定は、国際的には先駆的存在であり、幾つもの側面を備えている。最も重要なものの一つは、司法利用及び文化利用である。当該文書は、地域、諸国民及びカリブ海地域の多文化的性格を認め、全ての人が健全な環境に居住する権利並びに「エスカス協定と関連する、世界的に認定されているあらゆる他の人権」を保証することを義務付ける。反論できないものとして最も適切に表現されるその特権は、無制限の行使としての人権であり、脆弱な状況に置かれている集団については尚更である。

同協定の重要性は本質的である。放射的かつ横断的に拡散する効果を持っている。コロンビアの憲法裁判所と最高裁の判決及びエクアドルとボリビアの憲法条項は、文化―自然の二項式の保全再確認に向けて、締約国間に広がっていく。そのために、批准国は、環境に関する意思決定過程への公衆の参画を促す条件を定め、そして、同条件が共同体の文化的特質等に適合するように図る義務がある。

各締約国のかかる目的での司法権の機能は決定的となるであろう。エスカス協定は、当該基本権利の成就と尊重にとって最も有益となる広義の解釈の採用を義務付ける。更に、司法権は、現地の知識を評価し、様々な展望と英知間の対話と相互作用を促進する必要がある。締約国は、同様に、先住民族及び現地の文化共同体の権利に関する国内法並びに国際的諸義務を尊重しなければならない。

広義の解釈は、グアテマラとホンジュラスの国家気候変動行動計画に可視化されており、そこでは同計画は、気候変動行動が、文化遺産を保全する目的で、文化的権利の完全な行使を妨げることないように構築される必要性を定める。

ブラジル、パラグアイ及びエクアドルに於いては、上記の行動は、文化的多様性を全面的に尊重して、社会文化環境と調和している必要がある。ペルーの場合は、気候変動に対する国家戦略に於いて、先住民族を重視した、文化間アプローチを備えた多種多様な行動を定めている(最高政令No.ENCC-011.2015)。

これらの計画では、司法・文化利用に対し、完全に開かれた普遍的な側面を与えている。これ以降、各人、各集団、各共同体、各民族そして一般大衆も、法的利益を証明する必要なくして、文化―自然の二項式の保護を要求することができる。締約国が、司法利用の完全な行使への障壁を低減または端的に除去し、公用語とは異なる言語の解釈または翻訳の利用を円滑化し、無料の技術的・法的支援を支持することは重要である。

エピローグ

「時に叶って生まれた発想ほど強いものはない。」というフランスの作家ヴィクトル・ユーゴーの名言がある。そして、それには如何なる抵抗も不可能であると付言しても良いであろう。人権と環境の間の相互作用は、常に現在が好機である。

2017年、国連ラテンアメリカ・カリブ経済委員会（ECLAC/CEPAL）により作成された報告書『ラテンアメリカ及びカリブに於ける環境分野の情報、参画及び司法へのアクセス。持続可能な開発のための2030アジェンダ達成に向けて』の中で、社会環境的、従って、文化的で、大半が天然資源の管理・開発に関する対立の増加に関して、克明な説明がなされている。

その背景の中で、ペルーのオンブズマン（Defensoría del Pueblo de Perú）は、国の社会的紛争の73%が、社会環境的・文化的性格を有しており、その大多数は、鉱業・石油天然ガス開発活動に関係していると報告している。チリの国立人権研究所によると、2016年にこの種の紛争が103件以上も発生した。

ECLACは、天然資源の管理、使用及びアクセス並びにこれらの経済活動の環境的悪影響を巡る社会的不満は、社会環境的対立として分類される必要があると主張する。環境的悪影響を発生させる産業の大半は、鉱業、石油、ガス、漁業、林業及び水力エネルギー関係である。その悪影響を継続させるのは、特に農村地域に依然として存続する、極貧のような地域固有の害悪である。

これらの対立の原因は明白である。社会的・文化的環境での現行の権利に、保護のための新たな権利を上乗せすることにより、状況は複雑化し混乱を呈する。他方、環境インパクト調査と、事前の自由で情報に基づく、善意で文化的に適切な協議の認可は存在しない。それは、商業開発に隣接する地域を「都合の悪いものを自分の家の近くに置かれるのは絶対に容認しない。」（NIMBY）と見做すことの重大性であり、社会機構を解体する環境の変動　撹乱及びアノミーを引き起こす、経済的·法的·政治的領域での権力の非対称性等の結果である。

エスカス協定は、文化—自然の二項式に引き起こされた被害を緩和するための一つの代替策であることは確実であるが、もし不可欠な文化的緩和、適合及び回復力の計画と戦略を単に策定するだけであれば、その条項は反応が早いと見做されるべきではない。

しかしながら、高度先進諸国と特に技術面での開発途上国の間の不均衡は存続する。その結果は想像するに難くない。

メキシコ国立自治大学と裁判所 新たな文化モデル（I）

最高裁判所第二法廷は、不動産会社Be Grand 2（以下、Be Grand）社が、第三審上告人として、メキシコ市南部にある大学都市地区（以下、CU）の隣接地に於いて計画していた大規模開発プロジェクトに対して、メキシコ国立自治大学（以下、UNAM）が申し立てを行なった再審請求581/2020を巡る判決を下した。

確定判決は、最高裁がメキシコの最高学府であるUNAMの申し立てを認めたことを示しており、法学的文化モデルの合法性の結果を表す判決文には、異論を挟む余地がない。強調する必要があるのは、メキシコの文化遺産保護に於ける驚異的な意義である。

この紛争を巡る判決の根拠として、最高裁は、様々な視点を考慮に入れなければならなかった。即ち、確定判決は多面的性質を有することである。極めて重要な全ての想定には一つの共通点として、憲法改正4条に定める人権としての文化へのアクセス権がある。

事実関係

CUの主要キャンパスは、メキシコが加盟国であるユネスコの世界文化遺産及び自然遺産の保護に関する条約（UNESCO条約）の作業機関である世界遺産委員会（WHC、以下、委員会）によって、人類の文化遺産として2007年7月に登録された（同条約の公布は、1984年5月2日付*連邦官報*に掲載）。

国家が、この登録を強く望むのであれば、そのための提案は、委員会によって承認された作業指針に記載される「顕著な普遍的価値」の基準を満足させる必要がある（WHC.08/01 enero de 2008）。既に、大学都市として知られる建造物群は、メキシコ国家により芸術的記念物と宣言されていた（2005年7月18日付*連邦官報*）。

Be Grand社は、全616戸の集合住宅、セルフサービス店舗及び関連サービス店舗を擁する23階建ての超高層ビルを2棟並びに27階建てを1棟の建造を目論んでいた。同複合施設は、建造部分が11万5,494平米を含む予定であり、一言で言えば、大規模プロジェクトであった。

工事は、コピルコ・エル・バホ（以下、コピルコ）として知られる、CUに隣接する地所で実施される予定であった。Be Grand社は、そのために、10年ほど前に、当時のメキシコ市議会によって承認されたコヨアカン管轄区域対象都市開発計画（以下、計画）から成る所定の建設許可証を入手済みであった（2010年8月10日付*連邦区官報*）。

許可証交付及び計画の公布に不同意を示したUNAMは、連邦裁判所に差し止め請求を行い、行政事務審理第五地方裁判所により認められた（91/2018）。被告は、この判決を不服とし、第一巡回裁判所、行政事務審理第十二裁判所に控訴した（R. A506/2019）。同裁判所は、当然の事ながら、紛争の解決は国民的重要性に関わるものであることを考慮した上で、最高裁による司法権の行使を要請した。

コピルコは、この人類の文化遺産の緩衝または保護として技術的に知られている地区に位置する。この種の区域は、ユネスコの宣言文の中に設けられているのが通常である。委員会に送付された申請には、細部に亘る説明が盛り込まれている必要があり、当該事例に於いても同様に処理された。UNAMから委員会に提出された技術報告書は、正しくコピルコを含み、その実質的な問題点として、非住宅部分が40%以上の、二階建ての住宅の建造に限定して許可する対象である緩衝区域２の存在を強調している。

従って、紛争は、二つの相反する利害、即ち、第一義的に理財的目的のBe Grandと本質的に文化的動機であるUNAMを巻き込んで展開していた。それが軽微な紛争でなかった理由は、CUには、同大学の執行部と学部、専門学校、研究所等の多くの機関が設置されているからである。国民生活に於ける重要な出来事が行われる場であり、メキシコの集合的記憶を構成する大学の至聖所に他ならない。

委員会の論法に由来する、同様に貴重なもう一つの視点に於いては、UNAMの中央キャンパスは1949年から1952年にかけて建造された点がある。建造には、建物の外観をメキシコの先コロンブス期の過去に力点を置く社会的・文化的価値と結び付けた、傑出したメキシコの工学及び建築学の英知が結集された。

有形文化遺産と無形文化遺産の間のこの結合は、国境を超えて拡大し、普遍的無形遺産を構成する。総体としての記念物は、それ自体が、20世紀のメキシコの近代主義の総括であり、「都市計画、建築、工学、景観、芸術を統合するものである」(https://whc.unesco.org/en/list/1250)。

文化の正当化

最高裁は最も重要なテーマの一つに取り組んだ。即ち、文化の正当化であり、対応する法域での諸権利の行使にとっては重大なテーマであり、文化的権利は誰に帰属するかという疑問点を解決する主張である。

我が国の法制度に於いては、一部の機関及び大学は、国家のその他の機関とは性質上異なる特定の自治を付与されている。それは、自治を実施し、特に、文化と文化的表現の普及という憲法命令を履行するための条件である。大学のこの本質的な機能は、憲法により定められたものであり、大学の権威の他の如何なる属性をも凌駕する。更に、自己の財産管理は、大学の自治制度の結果として生じるものであり、同制度を擁護すべく、UNAMは、政府の権威や肩書きもなく、自治を行う一主体として訴訟を開始した。

このように、口頭弁論に当たり、UNAMは自らの文化への権利を訴えた。そしてその際、保護地区の都市環境の変質が、文化の普及という憲法の命令の履行の面で、大学に対して抑制的に働くという国家当局の行為の強要に対し、配下の組織として紛争を挑んだ。この側面は、UNAMが大学当局としてでも、その財産への明白な悪影響を前に、民間人同様の状況の中で訴訟に臨んでいたこと、そしてかかる状況は、大学が獲得を熱望していた正当性を、それ自体でUNAMに付与しているという事実を明示している。

上記に加えて、裁判所の確定判決は、個人または集団の文化的権利及び文化に於ける正当な利益の証明への違反があるとき、裁判権に訴えるための正当化の根拠を備えている。それにより、憲法第4条の修正部分での正当化の骨格形成のための基準を定めておくことで、国にとって極めて重要な文化モデルを裏付ける。

正当な文化的利益

憲法第107条第1号及び第2号の改正以来、正当な利益の擁護は実現可能となった。そしてそのことは、司法へのアクセスと今や同擁護の主張で、ひいては文化正義へのアクセスのためのかけがえのない空間の幕開けとなった。

正当な利益が特定されるのは、文化的自然人、集団または共同体の別を問わず、被害者が、自らの人権、とりわけ文化権が国家当局の行為によって傷つけられたと判断する時であり、そのためには、他の文化的社会の住民との関連性を証明する必要がある。

付与される保護は、ある種の文化的社会集団に属する不特定な人々が対象となる。明確化が必要なのは、集団的権利と社会全体の権利の間の概念的な相違の存在に関して、である。前者については、団結の要素が法的関連性である特定の共同体に関連する利益が特定され、他方、後者に於いては、何らの法的関連性はなく、偶発的な状況のみが特定される。この種の判例の解釈には疑う余地がない（jurisprudencia P./J.50/2014 y décima）。

集団的利益も社会全体的利益も、個人を超える、即ち、超個人的である利益である点が特徴的である。ある集団または共同体の総体に及ぶ文化へのアクセスという人権への影響は、これらの利益を奪うことである。同権利の行使は、集団または共同体の利益に資するものでなければならない。その意味で、文化的権利の侵害に関しては、個々の権利ではなく全体の権利を考える不可分性という特有の特質を構成する。

相対性

文化への権利の合法性の結果を概略した上で、最高裁は、同権利に対する憲法違反が、文化的集団または共同体全体に影響を与えると断定した。かかる想定に基づく考察は、様々な保護判決の有する相対性に着目するという意味で重要である。この原則は、判決は訴訟当事者間のみに効力を発するものであり、その特徴は本質的に個人主義的であることから、集団的権利及び社会全体の利益の領域に於いては、効力を欠いていることを示している。

判例の刷新は、ある文化的集団または共同体に属する不特定の人々に関わる利益を保護することである。正しくこの状況に於いて、文化へのアクセス権への侵害は、ある集団または共同体全体に影響を及ぼすという意味での不可分性が、完全な様相を呈する。

この再構築的主張の中に、最高裁は、憲法第４条の改正を裏付けて、文化的正義という概念を導入している。そのために、文化に関して、被支配者の法的領域に通常は限定されている相対性の原理を変貌させた。この主張は、文化的正義を文化的集団及び共同体にまで拡大することによって、同正義を法的に効力あるものにした。

その範囲は並外れている。当該紛争に無関係であるが、憲法の保護の恩恵に浴する第三者を保護するのである。更に、経済的、社会的、文化的権利に関する国際規約及び同規約委員会により採択された一般的意見21号に定める文化的諸権利を有効にするので､その規模は集団的であり、社会全体を網羅することは明白である。

UNAMによって導入され、最高裁によって先験的に確定されたこの文化モデルの影響は、計り知れない程である。最高裁は、文化への権利の法律的性質を、社会全体的で集団的であると断定し、また、文化・自然遺産に含まれる財産の劣化または消滅は、全世界の人々の遺産の衰微となると主張した。

我が国の文化遺産のこの稀有な防御に於ける判例上の根拠は、その合理性により、無形文化遺産にも拡大される。更に、文化財及び自然遺産は、特に、「顕著な普遍的価値」を有すると見做され、かかる状況により、人類の文化遺産の構成要素としての保存に値する財の場合には、文化遺産の保全が意味する卓越性を浮き彫りにする。

メキシコがとりわけ精力的に取り組んできた、この分野での国際的な法的構造の策定は、文化遺産の保護論に賛成するためのもう一つの確信的な要素である。

エピローグ

極めて重要なこの紛争に当たり、UNAMは、文化的正義の概念という刷新的な創出を通じて、文化へのアクセス及び人権としてのその明白な性質を構築する上で、最高裁によって確定された根拠に基づく新しい文化モデルの素案を導入した。

メキシコの文化遺産の前途は、今や、この判例モデルの判断に委ねられている。再生不能文化財としての文化遺産の保全は、全世界的な意義、とりわけ、知識の保全と後世への継承の上で掛け替えのない重要性を強化するのである。

メキシコ国立自治大学と裁判所
新たな文化モデル（II）

2000年に当時のメキシコ市議会によって承認されコヨアカン管轄区域対象都市開発計画（以下、「計画」）並びに、Be Grand社がコピルコ・エル・バホ（以下、コピルコ）地区に複合施設を建造するための建築許可の交付を巡り当局を提訴するメキシコ国立自治大学（以下、UNAM）の決定は、単なる土地使用という紛争の次元を超えていた。提訴の目的は、メキシコ国家が引き受けた国際的義務から導かれる保護措置の対象となるメキシコの文化価値を防御することであった。

これらの事象への大学共同体の参画は決定的であった。大学の文化的アイデンティティへの侮辱に対する当然至極な感情を惹起し、人権に於いても社会的必要性の一環としても、文化への権利の主張を意味した。憲法の命令による文化の普及こそが、大学のプロジェクトに意味を与える重要な機能である。

UNAMにより開始された訴訟を前に、最高裁判所は、再審請求581/2020を裁定した判決の中で、憲法の最高の解釈者としての資質で策定した優れた法学的刷新の一つを事前に定めた、紛れもない一つの文化モデルを作成した。

経　緯

上記の判決は、メキシコの法制度に於ける文化プロセスを完成させた。尚、この分析の範囲は、当該分野の関連のある法律に限定する。始まりは、メキシコ国家による、経済的、社会的及び文化的権利に関する国際規約（以下、「規約」）の批准であったが、当初の「規約」は、特別委員会が一般的意見、特に、21号を策定するまでは、一切の効力を欠いていた。

メキシコにより批准された様々な国際条約は多角的である。その中に、世界文化遺産及び自然遺産に関する条約（以下、「条約」）並びにその履行のための作業指針（以下、「指針）がある。我が国は、世界文化遺産のリストに35件を登録しているが、そのことは、「指針」の反復的で厳格な遵守を反映している。また、メキシコは、現在、世界遺産委員会（以下、「委員会」）の委員国である。

その流れの中で際立っているのは、憲法第1条、第2条及び第4条の改正であり、それによりメキシコの文化的景観は変貌した。また、第4条の改正は、文化へのアクセスという前提条件を導入したことで、文化及び文化的権利の一般法の公布のように、国中で文化的骨組みを作るため等の支えの役割を果たした（2017年6月19日付*連邦官報*）。

第４条の原則は、メキシコ市憲法（以下、首都憲法）、特に、文化的権利及び文化遺産に関する部分（第8条D及び第18条A）の中で広範に展開され、メキシコ市にとって、次の二つの基本的原理に組み込むことができる文化モデルを作り出した。一つは、文化への権利の無制限なアクセスであり、もう一つは、結果として生じるあらゆる種類の検閲の禁止を伴う科学と芸術の完全な自由である。

首都憲法第18条Aの条文は、今や同条の完全なる妥当性を要求する。即ち、メキシコ市議会が公布する法律は、連邦法及び当該分野の国際条約並びにその規則、作業指針、一般的意見及び公式解釈基準と一致することを義務付ける。

人　権

米州人権裁判所（以下、IACHR）は、2009年4月、先住民共同体に於いては、土地所有を巡る共有の伝統が普及しているとして、土地所有の中心は、個人ではなく、集団及び共同体であるとする判決を下した。先住民共同体にとっては、土地との繋がりは、生産や土地所有の問題に単純化されるのではなく、精神性が強く染み込んだ要素である。同共同体にとって、土地、領土、文化及びアイデンティティは、その環境と密接な繋がりがある独特な意味がある（Precedente Comunidad Mayagna [Sumo] Awas Tingni vs. Nicaragua）。

上記の事例は、ラテンアメリカに、人権の文化化という真正のモデルを与える法学的構築の幕開けとなる判例である。IACHRの法解釈の進展の重要さは、地域の諸条約と比較対照すると明白である。

1969年に採択された米州人権条約（サンホセ協定）での文化的権利への言及はわずかである。この欠如は、経済的・社会的・文化的権利に力点を置いた1988年のサンサルバドル議定書によって補完が試みられたものの、労働権と教育を受ける権利だけの言及に留まったため、その効力は極めて疑わしい状態であった。より深刻なことは、両方の条文には、全文の根底に連帯の原則があるとは言え、集団的権利への明確な言及が皆無であり、社会全体的権利に至ってはその欠片もない。

IACHRの法解釈の構築は、カレル・バサックの提起する人権の分類法と意見を同じくしている。チェコの法学者であったバサックによると、市民的及び政治的権利のような人権の第1世代があり、それに経済的・社会的・文化的権利という第2世代が続くが、本質的に個人的基盤を保持する。

IACHRは、個人の帰属意識は、集団または共同体に於いて説明されるという、連帯の主要な考えの上に第3世代の人権モデルを考案した。この確言の究極の結果は、人権の集団化及びその文化的表現である。

この文脈に於いて、人権は、文化的集団または共同体の尊厳にその根拠を求める。このモデルに於いては、集団的権利及び社会全体的権利は、個人的権利とのあらゆる繋がりとは別に、固有の自立性を有する。即ち、集団的権利及び社会全体的権利は、文化的集団及び共同体にとって決定的であり、その存続及び全面的発展のために不可欠となる。従って、IACHRの法解釈の構築は、先住民共同体が主たる原告である紛争に起源を発しているとは言え、全ての文化的集団または共同体を含む文化的モデルに及ぶ。

正しくこの状況に於いて、文化的・集団的・社会全体的権利の間の共生過程が開始し、その共生に於いては、文化と人権の間の接点（インターフェース）は、2007年12月の「先住民の権利に関する国際連合宣言」及び2016年6月の「アメリカ先住民権利宣言」に、いみじくも示されている。

今や、上述の根拠に於いて、最高裁は人権の文化化を最大限に実施し、それにより、文化的表現としての集団的・社会全体的権利の承認に於ける長年の波乱に富んだ巡礼を終了した。

文化と人権の共通部分が激論に付される。文化は、単に物理的表現のみならず、個人、集団または共同体との繋がりの奨励･保護を意味する。即ち、これらの繋がりの多様性に見合った特定の保護に値するのである。今後、文化への権利の本来の所有者としての個人等の上記の主体は、当該権利の行使に不可欠な正当化を得ることになる。

この文化モデルを後押しする人権の文化化は、今や、文化の承認・融合・正当化の3つのアプローチの中で認識される。文化的共同体及び集団は、文化遺産の保護は、文化的アイデンティティを構成する以上、社会的にタイムリーであり必要であると指摘する。

人権が位置付けられる複雑なパラダイムは、個人、集団及び社会全体的人権の間の明白な共通部分が看取される、人的経験の増加という明らかな本質を持つものである。

最高裁は、人権は集団または共同体から切り離されていることはできないし、またその実現は、集団または共同体の外では不可能であるという基準を重ねて主張する。かかる個人、集団及び社会全体的性質は、メキシコのような多重社会に於ける人間としての尊厳という同一の原理に属する。

上述の法解釈と一致して、最高裁は、文化的権利の潜在的行使のために、個人、文化的集団または共同体は、断定された権利の侵害と結び付いた、識別可能な法的状況に置かれている必要があると主張する。この状況は、それを社会の他の部分と区別する個人的な状況から派生しなければならない。

従って、推定される権利の侵害は、社会のその他の構成要素と区別される必要がある。即ち、最高裁が、この正当な文化的利益を保護し、紛争とは無縁の第三者にまでその効果を拡大するためには、当該利益が、必要な資格を備えた、正しい、現実的で、法的に重要な内容を有することを証明する必要がある。

文化的権利

当初の文化的権利は、国家への統合を確保する社会的・経済的権利と調和させる目的で考案されていた。今や、最高裁の根拠に従って、文化の人権は異なった視点を獲得する。

憲法による文化への権利の監督の意味するところは、俗に言う国民文化へのアクセスではなく、如何なる性質の差別もない、集団と共同体の特定の文化へのアクセスを意味する。そのためには、あらゆる障害物を除去し、アイデンティティ、歴史、文化、言語、伝統及び習慣の保全、発展並びに普及のための状況を創出することが不可欠である。

この法学的文化モデルの当然の帰結は、全ての共同体と集団がその文化的権利を行使し、主流文化と同じ状況で独自のアイデンティティを維持・推進するための資源へのアクセスを獲得できる時にのみ達成される文化的平等の達成である。

文化的集団及び共同体の多様なアイデンティティ及び官製の空間を超える相互作用とコミュニケーションの力学が実現する空間に於いてこそ、文化的平等が意味をなす。

規範的階層

最後に、この法解釈の根拠の重要な側面の一つは、憲法第133条に示す規範的階層を決定することである。この規定に関しては多数の分析がなされて来たが、本稿の目的はその議論に入ることではない。

しかしながら、同根拠は、文化の分野での規範的階層に関しては明白である。紛争と根拠は、「条約」が国内法に優越すると判断する点で一致している。更に、この「条約」を有効にする「指針」は一体となっているので、後の憲法的承認を必要としない。

規則に類似する「指針」が与える有効性は、「顕著な普遍的価値を持つ文化・自然遺産の集団防護の効果的システムを与えるために」不可欠である。従って、「指針」は条約同様に拘束的であり、メキシコ国家の国際的義務の異論を挟む余地のない部分を構成する。そしてそのことは、また、当該主題に関して、コピルコの緩衝地帯2に対してメキシコ国家自体が作成した技術報告書を意味する。

この根拠の重要性は際立っている。判例を一件挙げるだけでも、無形文化遺産保護条約の適用のための作業指針も同様に拘束的であり、経済的、社会的、文化的権利に関する国際規約の一般的意見21号を含めて、メキシコ国家の国際的義務の一部を成す。

エピローグ

この根拠は、法学的文化モデルの概略のための構造、意義及び目的を説明する全体論的な理解を要求する。最高裁による判例の根拠の第一義的効果は、政府機関に対し、我が国の文化遺産に対する略奪行為を抑制する姿勢及び人権に対する絶えざる愚弄の抑制を助長することである。

法学的文化モデルの創出は、法学の取り組みに於ける一つの画期的な出来事である。メキシコの文化的エコシステムへの影響は、個々人、集団及び共同体の文化的権利の効力を要求する上で、その行動の形成の呼びかけへと及ぶ。但し、それは、同根拠が社会構造を貫き、社会の構成員がその存在を認識する時に初めて発生するであろう。

この根拠は明白に模範的ではあるが、その他の領域への拡大は、今後の議論を待つことになるであろう。

訳者あとがき

著者のホルヘ・サンチェス=コルデロ博士は、メキシコ人弁護士であり、比較法学、及び文化財保護に関するメキシコ政府代表として活躍する同分野の世界的権威である。

本書は、日本では、『法と文化—文化財保護への司法的挑戦』(2020年、西田書店)、『メキシコ文化の機能不全—パンデミック・T-MEC・文化財』(2021年、西田書店) に次ぐ三冊目の刊行である。新型コロナウイルスCovid-19の蔓延が十分に抑制できていない時に勃発したロシアのウクライナ侵攻に起因する戦争、更には、気候変動の文化遺産に与える影響、COP26と文化等、分析の対象が従来以上に拡大した状況の中で、文化への向き合い方と文化遺産の保護の在り方という本質的問題について、著者の視点を共有してくれている。かかるグローバルな環境設定の中で、特に浮かび上がるのは、ヨーロッパ中心主義の先コロンブス期の遺産に与える軋轢、及び事例としてのメキシコによる返還請求の積極的な動きについての考察である。

国立人類学歴史研究所 (INAH) を率いるディエゴ・プリエト=エルナンデス博士は、序文の中で、本書の要点を分かりやすく整理しつつ、現代メキシコ社会が辿ってきた歩みを、当事者の一人として、直裁的に示しておられる。一読した訳者は、メキシコ市在住という過去の記憶のスイッチが入ったかのような錯覚を覚えたことを付言させて頂く。

文化遺産・文化財の返還問題の根底には、「過去は誰に帰属するのか」という問いかけが存在することは、前掲『法と文化—文化財保護への司法的挑戦』の冒頭に示されている。最初から問題の核心を鋭く突く博士のスタイルでは、本書に於いては、ウクライナで人道的な悲劇が進行する中で、平和主義や文化遺産の保護を語ることは不毛であり、見当違いも甚だしいという批判を受けるかもしれないとしながらも、直ちにそれを一蹴し、文化は平和の不可欠な構成要素であると断言する。本書の目的はその証明であり、様々な観点から考察を進めている。

訳者は、その展開の中で、次の二点に関して感じるところを記してみたい。第一点は、文化遺産・文化財とそれらが形成された地域の歴史的・文化的背景（コンテクスト）の間の密接不可分な関係についてである。文化財は、盗取された瞬間からそのコンテクストを奪い取られ、実体としての文化財と当該時空的背景が分断される（奪コンテクスト）。「過去は誰のものか」という問題に繋がるのである。

おりしも、今年（2023年）は日本で「古代メキシコ」特別展（巡回展）が開催され、訳者は、東京での会期終了直前に上野国立博物館に赴いた。主要展示物の一つであるマヤの「赤の女王」（パカル王妃）のマスクを見た時、ふと遠い記憶の中で何かが動いた気がした。訳者が在住中であった1985年は、9月のメキシコ大地震により、紛れもなく*annus horribilis（恐ろしい年）*であった。同年のクリスマスの未明に、パカル王の翡翠のマスクをはじめ140点以上の展示文化財が国立人類学博物館から盗取され、同日の朝からメキシコ社会では大騒ぎとなった。INAH関係者が「盗まれたのは、計り知れない人類学的・歴史的価値を有する、極めて重要な我が国の歴史の一部である」という異例の声明を発したこの事件は、「世紀の盗難」と呼ばれるに至った。ただ、奇跡と言っても過言でないのは、1989年の6月に、ほぼ全てが無事に発見・回収されたことである。それだけではない。この事件が“Museo”（ミュージアム）というタイトルで映画化され、2018年の第68回ベルリン国際映画祭で銀熊賞（脚本賞）に輝いたことである。無事に博物館に戻ることによって歴史的・文化的再コンテクスト化が完了しただけでなく、当該事件から派生した映画という文化作品が、世界で高評価を受けた稀有な事例でもあったことは強調して良いであろう。

第二点は、メキシコ国立自治大学（UNAM）と司法に関する重要で示唆的な事例についての分析である。大規模開発プロジェクトを巡る係争の舞台となった、大学都市に隣接するコピルコ地区は、同大の教職員や学生が多く居住している文教地区であり、訳者は同地区を訪れる機会に恵まれ、当時の街の落ち着いた雰囲気は、今でも鮮明に記憶の中に刻まれている。メキシコの最高裁が原告（UNAM）の主張を認めたことで、開かれた文化と文化へのアクセスを確保する重要性が社会に強く発信された。異なる条件に立脚するとは言え、東京の明治神宮前再開発を巡る一連の出来事を想起するのは訳者だけではないであろう。そうしたある種の感慨を残しつつ本書は幕を閉じる。

本書の翻訳は、昨年春に博士からお話を頂戴した。途中レイアウトの変更やページ増があったが、訳出作業中は、頻繁となった質問、照会について、博士は常に迅速で明確な回答を寄せて下さった。博士の温かい激励と厚い信頼感を感じながら「任務を完遂」できたことに、心からの感謝を表明したいと思う。

博士の助手のClara Herrera氏には、連絡の窓口として大変お世話になった。訳稿を丁寧に読んでもらった写真家の石川公人氏からは、細部に至るまでの重要な指摘と提言を頂いた。また、以前から国際的な政治、宗教、文化に関する「議論仲間」である宮田信一郎、文子夫妻と杏子令嬢と、本書について語り合ってみたいと思う。メキシコで初・中等教育を受けた友人の藤原映子氏には、スペイン語での日々の激励により、メキシコのコンテクストの保持に貢献して頂いた。そして、前作以上にお手を煩わせた西田書店の日高徳迪氏からは、実に多くの点で貴重な記述的示唆と助言を頂いた。こうした多くの温かい心の重層的な支えによって、博士との3度目の「知的冒険」である本書の完成に漕ぎ着けたことを明記する必要がある。

最後になるが、本書が、混迷を深める世界の中で、文化が、倫理観に支えられた「文化的存在」の確立を通じて、平和構築の要諦としての役割をより強固に果たしていくことを強く願う次第である。

2023年9月吉日

横須賀にて

松浦芳枝

著者について

ホルヘ・サンチェス=コルデロ
Jorge Sánchez Cordero

　ホルヘ・サンチェス=コルデロ博士は、メキシコ政府代表として、様々な重要な外交会議で、「国際物品売買条約に関する国際連合条約」(CISG、ウイーン条約、1980年)、「国際的なファイナンス・リースに関するUNIDROIT条約」(オタワ条約、1988年)、「国際的ファクタリングに関するUNIDROIT条約」(オタワ条約、1988年) 及び「稼働物件の国際担保権に関する条約」(ケープタウン条約、2001年)、並びに「ケープタウン条約の航空機を対象とする議定書」(ケープタウン条約、2001年) 及び「鉄道車両を対象とする議定書」(ルクセンブルク条約、2007年) 等の議定書作成に関して指導的役割を果たしてきた。

　「盗取された又は不法に輸出された文化財の返還に関するUNIDROIT条約 (ローマ条約、1995年) の共同執筆者としての功績が評価され、同条約が採択された外国会議の副議長に選出される。更に、UNESCO及びUNIDROITの専門家委員会の共同議長を務め、不正な占有の場合に於ける文化財の原産国への返還または返却を促進する、UNESCOの政府間委員会により採択された「未発見文化財の国家所有に関するモデル条項」の作成等に当たり、UNIDROITの理事会の認可を得た (2011年)。また、「文化財不法輸出入等禁止条約に関するUNESCO及びUNIDROITのモデル条項」の作成委員を務める (尚、同条項は、2023年6月に1970年のUNESCO条約の締約国による議論に付され、採択は次回総会に持ち越された)。現在は、放置状態の文化財に関するUNIDROITの調査グループを統括 (於ローマ、2023年)。

　ホルヘ・サンチェス=コルデロは、1984年以降、私法統一国際協会 (UNIDROIT) 理事会理事であり、副議長を3回務めた後、最近では、2023年～2024年の任期で4度目の副議長職に選出される。現在は、常任委員会の委員であり、2020年～2021年の任期で、総会議長に満場一致で選出される。メキシコ外務省の名誉法律顧問に任命される。

アメリカ法律協会会員、ヨーロッパ法協会フェロー、比較法国際アカデミーの前副会長、UNESCOに事務局を置く法学国際協会（IALS）の現副会長を務めるなど著名な専門組織の重鎮である。また、スペインの王立立法法学アカデミーの名誉会員でもある。

国際法協会の2022年の総会で採択された、世界文化遺産のガバナンスへの参加に関する最終報告書の作成に当たった委員会の委員を務める。芸術及び文化遺産に係る法律の研究のための国際学会（ISCHAL）の科学審議会の委員及び現在は、国際文化財学会理事でもある。同様に、国際記念物遺跡会議（ICOMOS）の法律・管理・財政に関する国際委員会（ICLAFI）のメンバー及びアンリ・カピタン協会メキシコグループ名誉座長である。

ラテンアメリカ国際私法協会（ASADIP）の会員であり、メキシコ統一法研究所長を務める。

様々な言語に翻訳された多数の著書（邦訳書は『法と文化—文化財保護への司法的挑戦』、及び『メキシコ文化の機能不全—パンデミック・T-MEC・文化財』、両書とも松浦芳枝訳、西田書店出版）及びメキシコ内外の一流の専門誌に掲載された多数の論文の著者である。『欧州連合比較法年鑑』等の編集委員会の委員を務める。

メキシコ市生まれ。ドイツ学院（DEUTSCHES ABITUR）で初等・中等教育を受けた（1968年）後、メキシコ国立自治大学（UNAM）法学部入学。1969年～1974年の同期生中の最優秀学生として、大学より『ガビノ・バレーダ賞』を、メキシコ政府より『金メダル』を授与され、優等学士学位を取得する。パリ第二大学（パンテオン・アッサス）にて、審査員全員一致での最高評定による博士号取得。

比較法国際アカデミーより、国際的に最も優れた比較法学者の一人として称賛を得る。フランス語圏の法学者を結集するアンリ・カピタン協会より銀メダルを授与される。国内では、文化遺産への貢献に対して、2008年国民ジャーナリズム賞を受賞する。また、フランス政府より、人類の文化遺産への貢献に対するシュヴァリエ国家功労勲章を授与される。2022年には、メキシコ国立芸術文学院より、文化遺産の分野で金メダルを授与される。2023年4月には、国立人類学歴史研究所より、文化権に関する歴史的研究及び法学者としての貢献を称えられる。

弁護士で、メキシコ市で競争試験により選出された公証人であり、公証人国際連合の会員である。連邦司法権選挙裁判所の前身である連邦選挙裁判所の創設判事である。また、国際弁護士連合会の会員でもある。

（訳者記）

訳者略歴
松浦芳枝（Yoshie Matsuura H.）
神奈川県生まれ。上智大学大学院（国際学修士）、メキシコ国立自治大学（UNAM）政治社会学部大学院ラテンアメリカ研究（博士課程満期退学）。駐日メキシコ大使館勤務（翻訳官・政治アナリスト）を経て、明治大学講師。スペイン語・英語翻訳家（産業、経済、文化、工学等）。アガベ文化論研究者。メキシコを中心とするスペイン語ことわざ研究者。『法と文化—文化財保護への司法的挑戦』邦訳（ホルヘ・サンチェス=コルデロ著、西田書店）、『メキシコ文化の機能不全—パンデミック・T-MEC・文化財』邦訳、（ホルヘ・サンチェス=コルデロ著、西田書店）、『プレミアムテキーラ』邦訳（マルコ・ドミンゲス著、駒草出版）、『世界ことわざ比較事典』スペイン語（スペイン・メキシコ）部分の執筆（日本ことわざ文化学会編、岩波書店）、をはじめとして、「日本人とテキーラ」、「テキーラを読む」、「古代メキシコのケッツァルの羽の被り物」、「チレエンノガダの発祥と神話—メキシコの歴史が凝縮したご馳走」、「最初のメスカル（邦訳）」、「メスカルと神話、そしてマヤウエル（邦訳）」等の論文、エッセイ、コラムを発表。講演、スペイン語・英語通訳活動も展開。在住の横須賀市公認スペイン語・スペイン語圏文化学習サークル*La Casablanca*の指導にも当たり、地域社会と世界とのインターフェースとして活躍中。

パクス・クルトゥラ
—平和構築の要諦としての文化
2023年10月25日初版第1刷発行

著　者　ホルヘ・サンチェス＝コルデロ
訳　者　松浦芳枝
発行者　柴田眞利
装　丁　臼井新太郎
カバー装画　笠原しい

発行所　株式会社西田書店
〒101-0065 東京都千代田区西神田2−5−6 中西ビル3F
Tel 03-3261-4509　Fax 03-3262-4643
https://nishida-shoten.co.jp
組　版　エス・アイ・ピー
印　刷　平文社
製　本　井上製本所

ISBN978-4-88866-684-8　C0036